S0-ACB-067

Il divano

273

DELLO STESSO AUTORE

Il mare intorno
Assandira
Le fiamme di Toledo
Afa

Giulio Angioni

Gabbiani sul Carso

Sellerio editore
Palermo

2010 © Sellerio editore via Siracusa 50 Palermo
e-mail: info@sellerio.it
www.sellerio.it

Angioni, Giulio

Gabbiani sul Carso / Giulio Angioni. – Palermo:
Sellerio, 2010.
(Il divano; 273)
EAN 978-88-389-2503-0
853.914 CDD-22   SBN Pal0228506

CIP – *Biblioteca centrale della Regione siciliana «Alberto Bombace»*

Gabbiani sul Carso

... sosteneva, fra l'altro, che le inopinate catastrofi non sono mai la conseguenza o l'effetto che dir si voglia d'un unico motivo, d'una causa al singolare: ma sono come un vortice, un punto di depressione ciclonica nella coscienza del mondo, verso cui hanno cospirato tutta una molteplicità di causali convergenti. Diceva anche nodo o groviglio, o garbuglio, o gnommero...

CARLO EMILIO GADDA,
Quer pasticciaccio brutto de via Merulana

Veglia d'armi

o

Per Silverio Lampis, il giorno nove maggio del '93
è stato uno come tanti, fino al portone di casa. Un
giorno meritevole di un buon rientro, persino
con parcheggio nei dintorni. Figurarsi se adesso,
sguardo miope fisso avanti a sé, Silverio Lampis
nota i due carabinieri che in borghese gli stanno
facendo la posta sotto casa.

«Il professor *Lambisse*? *Lambisse* Silverio?», lo
riscuote una voce alle sue spalle mentre infila la
chiave nel portone.

«Lampis», lo corregge d'istinto il professore, da sempre insofferente dello scempio del suo nome; ma fra-
stornato subito dai gesti e le parole di presentazione, dalla sua stessa sorpresa, dal rimorso vago quando uno dei due carabinieri, quello che gli ha stor-
piato il nome, gli mette in mano un antiquato foglio
protocollo, intestato *Procura Militare della Repubblica*, *Padova*, timbri sbavati, firme a scarabocchio.
Posa la borsa a terra, prende il foglio, gli occhiali dal taschino, legge, capisce e non capisce, fa

una faccia, anzi tutto un corpo secco e irrigidito, ma subito si arrende a quella prosa astrusa, a quegli *ex artt. 247-248-253 c.p.p.* e ai molti *Visto* questo e *Visto* quello e a un cubitale P.Q.M. Prende un fiato lungo: «Che si vuole da me?», fa col suo vocione. E restituisce il foglio.

«Il memoriale del tenente Manga Anselmo», dice quello dei due che pare il capo, leggendo dal foglio che gli ha preso con un gesto di formale cortesia, e glielo riconsegna, formale.

Manga? Anselmo Manga? Memoriale? Per chi mi hanno preso questi qui?

Niente sbagli, carta canta: «Qui», gli mostra il carabiniere capo con il dito inguantato di nero, gli occhi giudiziari che sorridono con ingannevole benevolenza. Lampis mette a fuoco, sul foglio, nella faccia dei due carabinieri, poi nei suoi ricordi: tenente Manga, Manga Anselmo? Mai sentito. No, non lo conosco.

«Dovrebbe essere un suo allievo all'università».

«Allievo, mio? Ma no. Ah, ma certo, sì, *Manca* però, Anselmo Manca si chiama. E Anselmo Manca non ha scritto un memoriale, ma una tesina, un'esercitazione, se è quella che cercate».

«Un'esercitazione!», mormora il subalterno.

«Scientifica, non militare, da studente», dice agro il professore. «E io non ce l'ho a casa. È all'università, dove dev'essere».

«E noi la riportiamo, all'università. Ci siamo stati prima, non l'abbiamo trovata e siamo qua», dice il carabiniere capo.

«Che gentili», sogghigna Lampis, già avviato all'auto con su scritto *Carabinieri*, bianco su nero ai fianchi, rosso su nero dietro, quella sì in divisa, che parte via sgommando appena lui è sul sedile posteriore, borsa sulle ginocchia, mani sulla borsa.

«Se ha fretta, mettiamo la sirena».

«No, la sirena no, non vale». E fa fermare dopo qualche metro: «La chiave, mi è rimasto il mazzo delle chiavi nella toppa del portone».

Padroni della strada i militi fanno marcia indietro, stoppano nell'esatto punto di prima e lui esce e risale la breve scalinata, con dietro gli occhi dei carabinieri, e inciampa sui gradini, due volte, all'insù e poi anche all'ingiù, salvando l'equilibrio chissà come.

Di nuovo dentro in macchina, subito via, sgommando.

E Lampis, calmo, gentile quanto gli riesce: «Ma che cos'è successo, scusino?».

Girato a mezzo, rispettosamente, il delegato alla parola gli risponde dal sedile davanti, tirando fuori le parole come prima il documento dalla borsa, le mani in guanti neri d'ordinanza: «La Procura Militare ordina una perquisizione con richiesta di consegna di cosa ricercata».

«Cioè, lo scritto del tenente Anselmo Manca».

«L'esercitazione, scientifica però», mormora l'autista per se stesso.

«Scusino, ma un magistrato che ci fa con gli scritti di questo mio studente?».

«Ordini», fa il capo con un mesto sorriso d'ignoranza, e di scusa per non potere dire di più.

Silverio Lampis si lascia andare sullo schienale. Sono io che sto sbagliando tutto, pensa, tira su il fiato e se la prende con se stesso: perché ho ammesso di avere quelle carte, finora lette solo in parte, e io pronto a consegnarle, a un magistrato militare (ci sono magistrati militari?), a quel... come si firma? Pezzullo, nome da ricordare: uno che ti manda a casa due carabinieri, anche se in borghese. E se rifiuto? Ma chiede fuori tempo: «Al tenente Manca, che cosa gli è successo?».

Dal sedile davanti il sovrapposto recita la sua ignoranza tirando su le spalle, le mani aperte nella resa e il viso dispiaciuto.

16

«Già, ci sono ignoranze commendevoli», mugugna il professore. Critica o lode, nessuno la raccoglie. E lui si guarda la città dal finestrino nel crepuscolo di tarda primavera, quando Trieste è al meglio. Anche se poi le lance in ferro nero del Giardino Pubblico, passandoci davanti, gli sembrano arnesi militari, di orde tartare, mentre la bora in mare schiaccia i gabbiani a pelo d'acqua, rancorosi, controvento.

Ma l'ho qui, si rende conto con vergogna: ce l'ho in borsa qui, l'esercitazione! L'ha avuto tutto il tempo nella borsa, il «sunnominato memoriale del tenente Manca Anselmo»: tutt'e due i quaderni, qui sulle ginocchia. Ci sono da mesi, nel guazzabuglio inveterato della borsa. Attendono lettura, intera. Ed è qui che Lampis prende quella decisione, decide che è meglio così: me ne faccio copia e me lo tengo anch'io, alla faccia degli sbirri, il memoriale del tenente Anselmo Manca.

«Noi l'aspettiamo qui», dice il capo al Lazzaretto Vecchio, schizza fuori dall'auto e va ad aprirgli la portiera, girando dal di dietro, con pompa militare.

Certo che state qua, bofonchia il professore per se stesso, geloso dell'usanza che gli sbirri non profanano un tempio del sapere, anche se in bor-

ghese: «Cinque minuti e avrete il manoscritto».
Se ne va da solo, più sicuro, anzi soddisfatto di
quei quattr'occhi dietro già in attesa, disattivati
dentro l'auto in divisa.

I

All'università, via dai carabinieri, Lampis gioca in casa. Si rimette in sesto. Mica tanto, ma tenta. Perché subito cerca ma non trova carta per fotocopiare. C'è chi dirà di averlo sentito vociare nel deserto serale di quei luoghi, come non gli accadeva da anni: «Da quando si è zittito per il peso delle corna», dice un suo collega che lo aveva soprannominato Il Barone Rombante, quando Silverio Lampis era tutto lampi e tuoni, prima dei suoi guai matrimoniali, non ancora risentito con il mondo.

E dunque eccolo lì, nel suo studio. Almeno qui vorrebbe sentirsi a suo agio, a casa sua. Si guarda attorno, lo sguardo gli si ferma sulla scrivania, piena di cose in un disordine stratificato.

E si fa le domande dei momenti grandi: che mi succede, che ci faccio qui? E chi sono io, se due carabinieri mi aspettano di sotto? Sono qui per farmi copia, forse indebitamente, di carte di rilievo giudiziario. Fissa la pila di fascicoli: lì è stato a lungo il *sunnominato memoriale*, molto, troppo a lungo, prima di finire nella sua borsa, dal giorno lontano che il tenente Manca l'ha tirato fuori dalla sua.

Perché l'ha conosciuto proprio qui, magro, teso e inceppato nella sua divisa complicata, borsa di pelle lisa: «Sono Anselmo Manca, iscritto al terzo anno della Facoltà di Lettere e Filosofia, Corso di Laurea in Filosofia, matricola 30-328101939, studente lavoratore in quanto appartengo all'Esercito Italiano, sono Tenente all'Ottavo Gruppo di Artiglieria di Campagna Semovente Fusavio, a Spanne, sul confine».

«Questa è precisione», aveva detto il professore alla Florianic lì presente. Nessun altro studente si era mai definito così, tutto bene intero, dati chiari, perfino le maiuscole parlate. E il professor Lampis aveva avuto il suo primo disagio col tenente Manca, o meglio, il disagio di avere disagio di quell'esattezza militare, inattesa per lui, con tutti i disastri che hanno sempre combinato i militari. «Piacere, signor tenente. In che possiamo essere utili all'esercito italiano?», dice con un cenno alla Florianic: alla dottoressa Letizia Florianic, ricercatrice confermata, collaboratrice preziosa, indispensabile.

«Sono qui a domandarle la disponibilità all'asse-
gnazione di un argomento di tesi di laurea in
Antropologia Culturale».

«Come mai questa scelta?», fa sobria la Florianic.

«Per un suggerimento del professore».

«Mio? Non mi risulta», e Lampis fa lo spiritoso:
«Io alla visita di leva sono risultato idoneo
R.A.M.».

«R.A.M.: Ridotte Attitudini Militari», scioglie
pronto il tenente.

«Ecco, appunto, quindi niente naia. Io sono recu-
perabile a difendere la patria in caso estremo. E
verso i cinquant'anni neanche in caso estremo, speriamo».

«Lei professore un giorno a lezione ha detto che
chi è scontento di sé si dà alla psicologia, chi è scontento della società si dà alla sociologia, chi è scontento di sé e della società si dà all'antropologia».

«E lei è uno di questi più scontenti?».

«Modestamente sì», fa il tenente Manca, con
mossa quasi ironica del corpo in uniforme.

Il professore aveva riso, agro, ed era stato cattivo: «A noi antropologi resta ciò che gli altri si
lasciano per strada: selvaggi, contadini, prostitu-
te, zingari, migranti, minorati etnici...», stava per
aggiungere i militari, ma si era trattenuto: a che

livello di spirito può giungere costui? Silverio Lampis sa di avere il problema della distanza giusta con chiunque, specie con gli studenti. E adesso uno studente militare, mi ci mancava solo un militare, magari uno che esibisce la naia e la divisa per mostrare che sacrifica allo studio sonno e libera uscita, nel gran daffare per difendere la Patria e l'Occidente sulla Soglia di Gorizia.

«Sono reduce da una cerimonia all'Ara della Terza Armata, qui a San Giusto», aveva precisato per spiegare l'alta uniforme, «oggi è il Due Novembre». Non al tenente ma a se stesso aveva chiesto chi o che cosa si celebra oggigiorno il due novembre, a parte i morti in guerra: tutti, o dei morti speciali? Comunque, era il due novembre di un precoce inverno e la divisa del tenente era solenne e tutta insegne più di un'autostrada.

La Florianic aveva fatto un'altra domanda di prammatica: «Non ha lei stesso un argomento da proporre per la sua tesi di laurea?».

«L'Esercito come istituzione totale».

«Nientemeno!», fa il professore, che pochi giorni prima aveva fatto un altro dei suoi «Nientemeno! E magari col metodo dell'osservazione partecipante!», alla proposta di una fragile fanciulla di studiare a Trieste la prostituzione di donne dell'Est europeo, dell'ex Oltrecortina. E dire che lui, il professor Silverio Lampis, ordinario di antropologia da quindici anni, da dodici anni non riesce a rifinire una monografia sugli alveari di stoppie dei Carpazi. «Be', ma si accomodi, tenente. Non stia lì impalato sull'attenti. Dunque, l'esercito come istituzione totale, dice lei», e contro quel proposito eccessivo aveva suggerito una prova di scrittura, la sua storia di vita, di vita militare: quello che poi sarà il *sunnominato memoriale*. Circa un anno prima se l'era già cavata in questo modo con una monachella, anche lei in divisa del suo ordine, che con le sue magagne personali aveva scritto le magagne di un convento millenario, e prima della laurea si era smonacata, alla buonora.

Il tenente Manca si era detto edotto di cos'è una *storia di vita*. Ma sembrava deluso, anche preoccupato: era pronto alla tesi, mica a un suo preambolo. «Ma sì», insiste il professore, «a tutti piace dire i fatti della propria vita, e lei può scrivere, che so, del suo servizio di reparto sul confine, o della formazione all'accademia militare, se l'ha fatta».

«Sì che l'ho fatta», dice la faccia del tenente prima della voce.

«Bene. Insomma, raccontando se stesso, s'interroghi sul senso del suo mondo».

«Farò così senz'altro».

«Non ne dubito». Ma il tono era dubbioso: «Metta in causa le sue sicurezze, magari quelle tipiche dei militari, che di sicurezze ne devono avere parecchie, sempre stretti a coorte, e pronti alla morte».

Meno perplesso, ricaricato, lo studente in divisa aveva recitato una sua forma elaborata di commiato. La Florianic lo guardava interessata, poi, appena congedato il tenente, lei aveva detto quella cosa, che lo studente Anselmo Manca assomigliava ad Anthony Quinn, quando era Zampanò ne *La Strada* di Fellini.

«Non sarà che pensare, capire, solo constatare è già un azzardo per un militare?», aveva mormorato il professore.

Ma quanto c'era in lui di preconcetto sulla vita militare? E questo Manca, che cosa ha detto d'essere, tenente, capitano? Be', nessuna voglia di occuparsi dell'esercito italiano, tanto meno maiuscolo alla Manca.

«Questo Manca mi pare... *necacovo*», aveva detto la Florianic, donna giovane e gentile, ma pure severa, e precisa, quando ci si mette, prima di tutto con se stessa, «sì, *necacòvo*, cioè roba da poco, nel nostro italiano ibrido di Fiume».

24

2

Ci sto mettendo troppo, qui. Mentre i carabinieri aspettano di sotto. Io però se non posso fare fotocopie, ma sì, io gliene do uno solo, dei due quaderni del tenente Manca, il primo, il meno grosso. L'altro me lo tengo, così lo leggo tutto, finalmente, almeno questo. Se devo capire che sta succedendo.

Nasconde il secondo quaderno in un cassetto, sotto molte carte, e corre giù col primo sotto braccio. Giù per le scale si fa tre starnuti, sicura previsione meteorologica: c'è aria elettrica, si mette al peggio, come annunciava già la bora.

«Grazie tante, professore», gli fa di sotto il carabiniere sovrapposto, subito rianimato, pronto all'uso, e quasi batte i tacchi ricevendo il plico rilegato a molla. È cane da riporto, la preda gl'interessa per posarla ai piedi del padrone, pensa Lampis mentre quello lo infila nella borsa, con rispetto. Da una borsa così il tenente Manca l'aveva tirato fuori tempo fa, con quegli stessi gesti di circospezione.

Già, troppo tempo fa, pensa nel viaggio di ritorno. Avessi letto i due quaderni del tenente Manca, adesso capirei perché sono finito in quest'auto in divisa da carabiniere, verso la casa vuota, con la testa vuota, con il batticuore.

I carabinieri lo lasciano di nuovo sotto casa, mentre minaccia pioggia. Gli chiedono la firma sul processo verbale di quanto hanno eseguito, ai sensi di un certo comma di un certo articolo del c.p.p., e via di nuovo sgommando nella loro macchina in divisa.

Salendo gli scalini verso il suo portone, Lampis scioglie finalmente quel c.p.p. in *codice di procedura penale*, e sente un altro arresto al cuore, però stavolta non inciampa, ma si ferma a tirare il fiato. Si guarda in giro come a riconoscere i suoi luoghi, però s'infastidisce più del solito della presenza civettuola lì di fronte, tutta rosa confetto, dell'Agenzia La Pace, di pompe funebri, taciute e camuffate, che da qualche tempo gli intristisce i rientri e le uscite con l'idea della fine di ogni andirivieni. No, non si vive meglio a camuffarla, l'idea della fine. Mentre invece la Libreria Esoterica Nosferatu, quasi di fronte all'Agenzia La Pace sull'altro marciapiede, fa molte allusioni mortuarie in eccesso divertito, esponendo orrori in una vetrina-loculo nel muro grigio, che il Mini-supermarket di fianco tinge al neon di rosso, verde, giallo e arancio a intermittenza, giorno e notte. Al posto dell'agenzia funebre La Pace c'era una scuola materna comunale, prima, e i piccoli giocavano con suore bianche e nere come rondinelle. Facevano un baccano di strilli, battibecchi, esultanze, pianti, incitamenti, che a sua moglie davano fastidio, chissà perché, e così a suo tempo non ha voluto che Bruno ci andasse, a quella scuola materna che Lampis adesso rimpiange insieme con suo figlio. Così ricorda adesso, col residuo buon senso di non fidarsi troppo di certi suoi ricordi.

Cadono le prime gocce.

3

Chiuso il portone e assicurato il chiavistello, Silverio Lampis fa tre soste sulle scale fino al terzo piano. Ha nuovi sguardi circospetti lungo i corridoi. Si accerta appena dentro casa di avere chiuso bene a doppia chiave.

Stasera non si scalza e non infila le pantofole della rassegnazione casalinga. Il solo automatismo da pantofolaio è quel buttare borsa e giacca sul divano.

Eccoci qua, a casa.

Sprofondato nella sua poltrona televisiva, inforca gli occhiali da presbite, cerca di leggere, di interpretare la prosa giuridica del dottor Pezzullo. Riesce a sciogliere la sigla P.Q.M., *per questi motivi*, ma non le ragioni che hanno indotto il magistrato militare a quel provvedimento. È come se il Pezzullo si nascondesse nel gergo legalese per eludere, lasciarlo inappagato. Legge più volte. Però sempre ottuso. Toglie gli occhiali e ne mangiucchia una stanghetta mentre si fissa sul ricor-

do del nome e del luogo della caserma del tenente Manca. E gli torna in mente: Spanne, sul confine, caserma Monte Lamone, fino a poco tempo
fa un luogo quasi Oltrecortina, *in partibus infide-
lium*, davanti al deserto dei tartari.

Inforca di nuovo gli occhiali da presbite, sfoglia
la guida del telefono e s'impegna in quello che
immagina un assedio, un assalto alla fortezza di
Monte Lamone di Spanne. Al telefono riceve
risposte secche, vuote, senza garbo. Ci si arrabbia subito, e non ottiene niente. La sua arma
peggiore è la pazienza, gli dice spesso la Florianic.
Al diavolo l'esercito italiano, al diavolo la procura militare della repubblica, al diavolo anche il
memoriale del tenente Anselmo Manca.

Prova i riti serali. Nella segreteria telefonica c'è
solo un messaggio di sua moglie, il solito di fine
mese: «Ciao ti ricordo l'assegno del bambino
ciao». Già, la sola volta che finora ha avuto a che
fare con i tribunali, ma civili, è stata otto anni fa,
per la separazione e poi il divorzio da una moglie
conosciuta ai tempi delle prime minigonne e che
fra poco avrà i capelli azzurri come sua madre, ex
suocera di Lampis, mentre di sua madre lei ha già
la lacrima facile e le vene varicose, così impara.

Da allora vive solo. *Sturmfreibude!*, aveva proclamato il primo giorno nella casa vuota. Così dicevano a Trieste ai tempi di Cecco Beppe, di Franz Josef, gli studenti in libera bisboccia, senza adulti in casa. Sperava nella vecchia leggerezza giovanile, dopo i guai matrimoniali. Per mesi ha fatto cose strane, innaffiava piante di plastica, metteva insieme tristi pasti, nella cucina piena di echi, tornando a casa come un malfattore, pacchetti sotto il braccio: «Ci vuole poco a far tuffare in acqua quattro würstel», diceva alla Florianic, «e ho il telecomando in esclusiva». Andare via da quella casa di ricordi inutili, anche dopo svuotata da sua moglie di ogni cosa propria? Chi aveva il tempo per cercare un'altra casa? O abbandonare Trieste, insegnare solo a Cagliari che pur gli resta, porto sicuro nell'isola natia? No, a Padova c'è suo figlio, con sua madre. Ci si è riabituato, in quella casa di ogni suo soggiorno triestino, circa un semestre all'anno, e ci ha scoperto i vantaggi del silenzio. Tanto che c'è da dire? Forse qualcosa a studenti come il tenente Manca, che ci credono, ma lui semina dubbi, per principio. Non c'è stato più niente da dire nemmeno per opporsi alla sentenza che alla fine ha affidato il figlio a quella madre, con obblighi per lui del suo mantenimento. Sono passati sette anni e sette mesi. Fra qualche mese il figlio parte militare. Com'era il mondo prima della minigonna, se non so più com'era prima che cadesse il Muro? Di quei tempi, a Silverio Lampis sembra che sia rimasto solo il salumiere all'angolo, che come e più di prima gli sa tagliare i suoi due etti di prosciutto o parmigiano, azzeccandone il peso, non scarta mai di un grammo.

Silverio Lampis prende l'occorrente e compila a nome del figlio un assegno di ottocentomila lire. Domani glielo mando.

E adesso questa storia, di questi manoscritti. Li ricorda noiosi. Però, altro che al diavolo adesso li vorrebbe i manoscritti in quest'attesa, nel silenzio serale. Poteva tenerlo, in borsa, il quaderno negato al magistrato, non imboscarlo in facoltà. Ma chi gli ha mai insegnato a fidarsi dei carabinieri, a un sardo?

Per la seconda volta quella sera si fa la domanda smisurata, chiedendo aiuto all'ovvio in pantofole della sua vita casalinga: che fare?

La Florianic, ma sì, sentiamo la Florianic.

Fa il numero, ed eccola pronta. Si scusa dell'ora, le chiede come va il raffreddore. Meglio, grazie. Le spiega, poco e male. Poi: «Provi lei a chiedere di Manca, quel militare, si ricorda? Quello che sembra Anthony Quinn, secondo lei».

«Anthony Quinn da giovane, com'era ne *La Strada* di Fellini».

Le detta il numero della Monte Lamone: «Si finga parente del tenente Manca».

«Ma cosa gli è successo?».

«Veda un po' di farsi rispondere lei stessa».

Si sprofonda in poltrona. Poi si alza, va in camera da letto e torna in poltrona, sulle spalle il maglione grigio dono di compleanno della sua Florianic, fatto a mano da lei. E la immagina a casa tra i mobili massicci di Carniola, con la cornetta tra la spalla e il collo, forse coi bigodini serali nei capelli. Ma no, che bigodini, lei non si spreca per il viso: un pettine, quattro forcine e uno specchietto le bastano a sentirsi padrona di se stessa. Mentre l'altra, sua moglie, per capelli, ciglia, sopracciglia, labbra aveva attenzioni amorose, squisitezze di tocco e tempo a non finire. Anni fa, tornato a Trieste per il suo semestre, la Florianic si è fatta trovare con tutta bella sciolta la treccia che pareva un serpente con la testa legata da un nastro nero, e le ha lodato il caldo color rosso dei capelli, che in facoltà la fa chiamare *La Petite*

Larousse, perché la Florianic ha preso un dottorato alla Sorbona, che non l'adorna meno dei capelli.

Lui in casa della Florianic si precipita fin troppo spesso, ma col telefono. Un paio di volte c'è stato di persona, nei molti anni di una stretta colleganza, il tempo di centellinare un maraschino, Luxardo, sangue morlacco, diceva D'Annunzio dittatore a Fiume, eia eia alalà.

Lo riscuote il telefono, e con spavento, per colpa di giudici e carabinieri: «Sì?».

«Alla caserma Monte Lamone, niente su nessuno. Segreto militare, credo».

«Cosa c'entra? Esiste anche il segreto militare in Italia?».

«Non lo so. Mi hanno fatto il viso dell'armi».

«Bisogna saper chiedere».

«Io non ho chiesto tanto male, non quanto lei a me».

Lui incassa, mette la sordina al suo vocione e le racconta meglio della visita dell'Arma, della requisizione degli scritti del tenente.

«Requisizione? Perché?».

«Requisizione o che altro sia, per portarmelo via mi hanno mandato i carabinieri. Senta, lei che adesso giura sull'informatica, mostri un po' a quest'uomo cartaceo che Internet fa i miracoli che dite, cerchi qualcosa del tenente Anselmo Manca. Lì almeno non le fanno il viso dell'armi».

«Bisogna saper chiedere anche lì».

4

Letizia Florianic è una donna seriamente spirito-
sa, libera di sorridere del professore, al quale
lascia l'ultima parola, eco della penultima di lei,
che ha voce dolce, adatta a una pacata parlantina. Intelligente e anche bella, nell'insieme, ma più
di tutto per lo sguardo intenso: «Che bel cervello, peccato non si veda», è stata una delle prime
gaffe di Silverio Lampis con quella che un tempo si diceva un'assistente, all'università. Non alta
però fatta bene: «Come una guglia gotica», secondo un'altra gaffe di Lampis. E merita il nomignolo
di Sancia solo per il fedele sodalizio con il professore, che di don Chisciotte non ha la statura,
forse ne ha la voce, ma allampanato sì, e con la
testa tra le nuvole. La Florianic è stata famosa a
Trieste ai tempi della lotta femminista per tenere la separazione asburgica tra maschi e femmine
nei bagni alla Lanterna, lei che sulla spiaggia triestina ha esposto poco la sua pelle all'occhio del sole
e a quello degli uomini, spesso non indifferenti.

Mica assortiti bene, con lui che a lezione crede di scioccare gli studenti di oggi con gli usi sessuali dei selvaggi, lui che provvede in solitario alla sua vita erotica da quando non ha moglie, pauroso del potere e dei pericoli del sesso, in castità adolescenziale. E quando hanno provato ad andare a letto insieme, tempo fa, la Florianic con quegli occhi di donna che gli spazzavano la casa, ha continuato a dirgli professore, a dargli del lei, e lui a darle ordini e disposizioni, come in facoltà. Senza distanza giusta. O giusta vicinanza. Come con gli studenti. Lei voleva qualcosa, lui voleva qualcosa forse d'altro, ci hanno provato insieme, a cercare, per scoprire che tutti e due, con due vite già troppo organizzate, in fondo volevano solo fare, chissà, forse chiarezza d'intenti. E l'hanno fatta. Così aveva deciso il professore anche per lei. Ma c'è coincidenza nelle loro vite, anche se per lei la vita è un museo ben sistemato dove in caso di dubbio consulti il catalogo, mentre per lui la vita è nel disordine dei sotterranei del medesimo museo. E c'è quest'abitudine a raccontarsi i propri sogni, la mattina alla prima occasione in facoltà, o quando capita. Strano, ma di solito ha più lui da raccontare, delle sue notti solitarie. Donne così, pensa Lampis di lei piuttosto spesso, mandano avanti il mondo, perché tra l'altro mostra una tranquilla sicurezza nelle sue capacità di essere utile, non solo agli studenti sprovveduti.

Lampis sta sonnecchiando, con sulle spalle il gran maglione grigio sferruzzato dalla Florianic, testimone di quel tentativo di maggiore intimità. E dai suoi sotterranei da museo gli viene fuori come in sogno un giorno lontano, quando anche lui ai suoi bei tempi combattivi nell'isola natia che dicono selvaggia voleva inchiodare il nemico a un bagnasciuga balneare modernissimo, la volta che si è fatto malmenare dai carabinieri messi contro il suo gruppuscolo sessantottino, miglioratore dell'umanità balneare con irose scritte sulla spiaggia bianca del Poetto dove fanno la ruota gli ombrelloni: *Lido del minatore, Lido dell'autoferrotramviere*, dicevano i cartelli studenteschi, *Lido del pastore* provocava la scritta che lui ha piantato nella sabbia morbida contro le spiagge degli stabilimenti, spiagge esclusive, e chi non è del branco via, sciò! Ha ancora cicatrici a lungo gloriose sulla fronte, e stridi di sirene nelle orecchie. E invece è il telefono, non è al Poetto di Cagliari ma qui a Trieste: «Sì pronto», fa di malagrazia con quel suo vocione.

«Professore, il tenente Manca è all'ospedale».

«Come mai?».

«È saltato in aria in una polveriera. È in rianimazione».

«In una polveriera?».

«Lui, Manca, l'ha fatta saltare, sembra, qui sulla Soglia di Gorizia».

«Splendido!».

«Splendido cosa, professore?».

«Un soldato che fa saltare la sua polveriera, magari è un ufficiale pacifista, di questi tempi sul confine, ed è un allievo nostro. Meglio di Robin Hood!».

«Quello è saltato in aria, professore, con la sua polveriera». E la Florianic gli spiega che lo scoppio ha avuto sì certi echi sui giornali, giorni fa, ma con poco di tutto e con molto di niente, dato il silenziatore delle autorità militari, che da decenni qui nel Nord Est militarizzato tengono in segreto tutto per automatismo. C'è anche l'America di mezzo, la NATO e tutto il resto. Dunque italiani sull'attenti, zitti e mosca. Al massimo, pastorizzazione di notizie come questa, solo qualche giorno in cronaca locale, col ritornello che in questura i giornalisti trovano soltanto bocche chiuse. In prima pagina in quei giorni ha dominato il tema dell'embargo verso i luoghi in guerra della Jugoslavia. In un articolo più audace, un anonimo scrive di trafugamenti d'armi e munizioni, di buchi nell'embargo contro la Jugoslavia, di ufficiali felloni e anche traffici d'alcova.

«Nientemeno».

«Ah sì, dimenticavo. Il sito Internet dell'università, appena inaugurato, qui siamo sempre all'avanguardia dai tempi di Cecco Beppe, si sa, be', il sito Internet nuovo nuovo mi dà che Anselmo Manca, matricola 30-328101939, ha chiesto e ottenuto proprio lei, professore, come suo tutore accademico. È lì per tutto il mondo, ma scommetto che lei non ne sa niente».

Lui fa cadere la scommessa. Ringrazia, saluta, mette giù.

Silverio Lampis rimane in piedi a lungo, immobile. Ma col cervello scapestrato.

5

Di buon mattino, il giorno dopo la visita del-
l'Arma, Lampis morto di fame perché non ha
cenato ieri sera, dopo una disordinata colazione,
stupito, circospetto e anche preoccupato corre
all'università, prima di tutto in cerca del secondo manoscritto del tenente, quello negato all'Arma e al magistrato, nascosto nel suo studio come
un qualsiasi segreto di Pulcinella.
Lo ritrova, se lo infila in borsa. Ha lezione, adesso. Poi si rintanerà qui dentro, a leggerlo. Sarebbe ora, anche senza la novità di questa ingiunzione
giudiziaria.
Ma prima di scendere a lezione cerca sulla guida del telefono: *Procura Militare della Repubblica*.
Non c'è sulla guida di Trieste. Ma si ricorda del
provvedimento scritto del dottor Pezzullo, letto e riletto ma lasciato a casa: Procura Militare
della Repubblica, Padova. Esce dalla sua stanza, va dalla Florianic lì a fianco e le chiede bru-
sco di cercargli i recapiti della Procura Milita-

re della Repubblica, sulla guida di Padova, o dove che sia.

«Professore, volevo dirle», gli fa, lui già sulla soglia, «non so se ricorda, ma io quelle scritture del tenente Manca me le ero lette tutte, a suo tempo».

Ci avrei scommesso, pensa lui, e pensa anche che nemmeno lei sa che i manoscritti sono due, e le dice: «Signorina, lei… lei è», e le torna vicino, al tavolo, «insomma, che cosa si ricorda, cosa mi dice adesso di quello scritto del tenente Manca?».

La Florianic si soffia dal viso la solita ciocca vagante: «È passato del tempo. Qualcosa mi ricordo. Ma cosa diceva che sono io per lei?».

«Indispensabile. E allora, mi dica, ma subito che devo scendere a lezione».

«Un'impressione generale, questa me la ricordo. Tutto mi è parso, leggendo, piuttosto risaputo, anche un po' una lagna. Insomma, tutto un corteo di buoni sentimenti».

«Parata, caso mai, una parata militare di buoni sentimenti. Però bisogna leggerlo con occhi nuovi, adesso, non le pare?».

E se ne va, brontolando: «Già, i buoni sentimenti, così facili da deridere, così difficili da sostituire».

Cosa sta lievitando in quella testa, si chiede la Florianic, mordicchiandosi la lunga ciocca rossa penzoloni. Quando lui si mette a sentenziare così, lei si allarma. Ma una cosa ha capito già da ieri sera, che la visita dell'Arma gli sta accelerando il ritmo di vita, gli ha ravvivato l'aria logora. Gli ha sparigliato le carte e l'ha rimesso in gioco, ma non al solitario, per non perdere.

Dopo la lezione il professore torna su alla sua stanza rincorso da una studentessa, ma già attento alla Florianic che gli viene incontro con un suo foglietto: «Ecco, è tutto qui, telefoni e indirizzi. Le province di Trieste e di Gorizia ricadono nella competenza territoriale della procura militare di Padova».

Lampis ascolta rapido la studentessa che gli chiede una delle tante banalità universitarie e si chiude nel suo studio. Afferra il telefono, stende sul tavolo il foglietto della Florianic, richiama alla memoria il nome del dottor Pezzullo, ma un improvviso batticuore lo trattiene. E fallo questo numero. Lo fa, ma è occupato. Mette giù con sollievo.

Torna dalla Florianic. Entra senza bussare: «In che ospedale sta il tenente Manca?».

«Non all'ospedale militare, a Trieste chiuso da anni, lo sa bene anche lei: a suo tempo ci siamo battuti per farne una casa dello studente. Il paziente Manca è all'ospedale civile».

6

Silverio Lampis corre all'ospedale nella sua YIO di colore incerto che parcheggia male. Dentro l'edificio subito si perde. E poi non ha pazienza nelle sue ricerche del tenente Anselmo Manca.

Chi? Tenente Manca? Non saprei. Provi qui, provi lì.

Un medico discinto finalmente si rianima: «Ah Manca, il bello addormentato. Lei è qui per il sangue?».

«Sangue? Che sangue?».

«Trasfusioni. Per il tenente Manca».

«Ma io... Non esageriamo».

«Per niente. Serve a damigiane. Si fa in fretta».

«Ma il mio sangue...». Vuole obiettare che il suo sangue forse non va bene per un giovane soldato. Ma segue il vampiro già pronto a salassarlo, un giovane medico esuberante, di telegrafica loquacità: «Bene, gruppo sanguigno compatibile. Ah sì, ma davvero, anche conterranei, sardi, stesso sangue, buona razza... E che bei vasi ha lei, sa, facili da bucare. Ecco qua, così...».

Sarà. Seduto controluce in una stanza a porte chiuse con un finestrone abbagliante lassù in alto, per resistere al salasso Silverio Lampis s'immagina nell'isola natia, nell'antro scoperto da ragazzo dove il sole arrivava giù da un buco in alto, esplorato con l'orgoglio guerresco di tenere a bada la paura.

«Come sta il tenente?», chiede dopo, abbassandosi la manica.

«Pluritraumatizzato», telegrafa il vampiro, «coma semifarmacologico».

«Vorrei vederlo».

«No, niente visite».

Ma poi il medico glielo fa vedere, di là da un vetro ovale, il tenente Manca disteso in una selva di pulegge, di tubi e verricelli, magro come una radiografia, il viso di alabastro: «Se la sta cavando».

«Da quanto tempo è lì così?».

«Giorni», e si tocca la testa. «Talamo».

Il professore con il naso al vetro è tutto fisso a quelle bruciature: *scottante attualità*, gli torna in mente, letto su un giornale. Già, ma adesso già scomparsa dai giornali anche locali, dopo il risalto cubitale. E il poveraccio messo in ceppi, non soltanto il corpo.

«Che vita gli si può sperare, se campa?».

Il medico alza le mani nella resa. Il professore con il naso al vetro sente un gelo nella schiena, poi più niente: il pavimento gli monta su contro la faccia. Rinviene in Sala Medici, nella miscela di odori d'ospedale, gli fanno vento col giornale, intorno visi divertiti. Dove sono, sarà mattino o sera? Si sente nella stessa barca del tenente, quella di Caronte.

Rimesso a posto nel tempo e nello spazio, rimesso in piedi e in equilibrio, il professore è congedato con il viatico di un'endovena.

Ha voglia di parlarne con qualcuno.

A una parete giù nell'atrio vede una cabina telefonica. Si cerca nella tasca e trova il foglietto delle istruzioni della Florianic. Entra sospettoso, solleva la cornetta, mette giù monete. Di nuovo il batticuore. Fa il numero, deciso, e dopo alcuni minuti di una plastificata e stridula *Primavera* di Vivaldi, arriva un pronto!

«Il dottor Pezzullo, potrei parlargli, per favore?».

Silenzio. Doveva dire di più, su se stesso?

Ma glielo danno subito il dottor Pezzullo: «Ah professore, grazie del memoriale del tenente Manca. L'ho qui sul tavolo. Gentile a chiamare. Anche lei è persona informata dei fatti, e io le devo una visita. Oppure magari venga lei, qui da noi, quando vuole».

«Subito magari?».

Sì, magari, perché no? Appuntamento a Padova, al palazzo degli uffici giudiziari militari. Il tempo di arrivare: «Ci tengo», dice Pezzullo allegro, manco fosse un appuntamento al Caffè Pedrocchi. Ci tiene anche il professore.

«Perché ci tiene tanto?», gli chiede poco dopo la Florianic al medesimo telefono, dopo che le dice che va a Padova, dal dottor Pezzullo, e che non sa quando tornerà a Trieste in facoltà. Oltre metà giornata di sicuro.

«Ci tengo. Non dovrei tenerci?».

«D'accordo, professore, ci tiene».

7

Lungo il viaggio a Padova Silverio Lampis medita su come comportarsi con il magistrato, che soprattutto non si accorga dei suoi sotterfugi con i manoscritti. Non scopra il mio tradimento, pensa mentre viaggia per luoghi sacri alla Patria, direbbe Manca, come il Piave, sulle cui sponde tradimento rima con sgomento. Andare a Padova per lui è sempre una fatica. Ci abitano da tempo il figlio e la ex moglie. In tasca oggi ha l'assegno per suo figlio. Però sua moglie è più brava di lui a procurare a Bruno ciò che serve, come i suoi trastulli elettronici. Lui coi suoi tentativi di colloquio sbagliava e sbaglia sempre, e anche coi regali, già da quando l'attuale spilungone era un frugolo biondo che sua madre ornava di boccoli complessi: figurarsi, i soldatini di piombo. Comunicano meglio adesso padre e figlio, grazie agli assegni circolari, mentre i vecchi giocattoli rimasti a Trieste in casa del padre, intristiti, giocano da soli tra di loro. Però l'altra sera, mentre Lampis sonnecchiava in poltrona nel soggiorno, i granatieri di Sardegna ottocenteschi, chiusi da anni dietro la vetrina di una libreria, vicino a un Toro Seduto solitario e scontroso, si sono rimessi per bene in ordine chiuso, tamburino in testa: «Cosa fa il tamburino quando scoppia la battaglia?», gli chiedeva Bruno da bambino, le poche volte che ha apprezzato quei giocattoli antiquati, e lui non ha saputo mai rispondergli.

Trova parcheggio subito. Ed è pure aspettato. Soldati in divise varie ciondolano intorno nei locali del tribunale militare. Nessun viso dell'armi. Un marinaio lo porta disinvolto dal dottor Pezzullo, bussa compunto e lo introduce in una stanza che pare tutta occupata da un'antica stufa di maiolica panciuta.

Appena seduto: «Cos'è successo a questo mio studente?», domanda senza sprechi in convenevoli, lasciando la manfrina già premeditata.

Il magistrato ride un po' come si fa coi tipi originali: «Cerchiamo di capirlo, coi mezzi disponibili, che non vuol dire sufficienti». Il dottor Pezzullo è un tipo magro, alto, con certi occhiali come fondi di bicchiere, accento vesuviano, ed è più o meno un suo coetaneo, tanto meglio. «A qualcun altro è andata peggio, nello sconquasso in polveriera».

«A chi è andata peggio?».

«A uno di passaggio, morto fatto a pezzi, un nomade».

«Nomade in che senso?».

«Zingaro. E del suo studente, lei cosa mi dice?».

«Cosa mi dice lei? A me serve copia del suo manoscritto. Sono tutore accademico dello studente Anselmo Manca». Non sa bene cosa sia un tutore accademico, un ministro l'ha appena copiato dagli americani, ma sul magistrato fa un bell'effetto. Il dottor Pezzullo prende da un armadio metallico il «memoriale del tenente Manca Anselmo», richiude la porta massiccia e la lascia in agguato dietro il professore, con due pigne d'ottone puntate alla sua schiena, come due bocche da fuoco.

«Provvedo per la copia», dice il dottor Pezzullo. Ha una certa grazia, un poco triste, rassegnata. Ma gli ordini al telefono li dà con piglio militare. Entra un soldatino, gesti formali di saluto, prende in consegna il quadernone per le fotocopie.

«Ne ho letto qualche pagina», dice il magistrato, «con certe note a margine, salaci, che suppongo sue, professore».

Salaci? La Florianic di solito le trova pedanti: «A che cosa le serve?».

«Devo leggerlo».

«Anche le mie note?».

«È una lettura investigativa *off the record*, come questo nostro colloquio».

«Non *top secret*?», fa il professore con pronuncia ironica precisa.

Il magistrato ride, denti a tagliola: «E cosa pensa lei di questo memoriale?».

Lampis cerca formule pastorizzate, poi ruba alla Florianic: «Mi sembra un po'… una parata di buoni sentimenti. Ma a lei per cosa serve?».

«Per sapere che cos'è successo a questo suo studente, e perché».

Si studiano in silenzio.

«Dottor Pezzullo, come ha saputo dello scritto del tenente?».

«Ah, lì vuole farmi mordere! Non posso dirlo. Sono un magistrato *borderline*, e non perché Trieste e Gorizia sono sul confine. Mi devo coordinare col pubblico ministero ordinario, che indaga sul nomade morto. Problemi di competenza, un guaio». Si mette a fare ordine sul tavolo parlando in legalese dei limiti della giurisdizione militare, di legge penale militare e ordinaria, spiega che quasi mai per lui un reato s'inquadra nella competenza esclusiva o del magistrato militare o del magistrato ordinario, e procedono entrambi a modo loro, i due PM, pubblici ministeri, piemme. Finché ritorna il soldatino coi suoi gesti stereotipi di riverenza militare. E con le fotocopie.

«A me l'originale e a lei la copia, professore».

Lampis la mette in borsa, coraggiosamente a fianco del secondo quaderno clandestino, baro in tribunale: «Grazie tante, dottor Pezzullo».

«Si figuri, dovere».

È il fare del congedo, ma si alza per primo il professore: «È stato un piacere».

«Teniamoci in contatto», dice il piemme Pezzullo coi saluti.

8

Non speravo tanto dalla visita, pensa Lampis soppesando in borsa il peso di tutte le scritture del tenente Manca. E in più, un buon rapporto con il magistrato.

E adesso da mio figlio, cinque minuti in macchina. Come dire: dalla giurisdizione militare a quella civile, che regola i rapporti con il figlio Bruno. E con la sua ex moglie. Anche col compagno di sua moglie, convivente informe, anche lui *borderline*, giuridicamente impreciso. Lampis vorrebbe farne a meno, ma fa lo slalom tra le norme del diritto matrimoniale.

Si è indebitato per ristrutturare dove sta di casa suo figlio, nel seminterrato della casa di sua madre, in taverna, come dicono a Padova: *lampisteria*, la chiama invece Bruno Lampis. In combutta con suo figlio, Lampis ci ha fatto mettere un citofono autonomo da quello di sua moglie e convivente, a nome Lampis. Il telefono no, deriva da sopra. Ma un giorno Bruno l'avrà vinta, fra pochi mesi, alla maggiore età, anche col telefono, con il supporto di suo padre, di lui Lampis, che adesso suona al citofono del figlio. Nessuna risposta. Di sicuro è a scuola. Però è già fine mattina. Aspetto o l'assegno glielo lascio nella cassetta della posta, zitto zitto, e via? Ma prima di decidere, da sopra al terzo piano gli arriva giù il latrato solito del cane di lui, del convivente di sua moglie: segno che su in casa non c'è nessuno, se il cane sta nei suoi domini sul balcone, il cane che odia Lampis, certo perché in combutta con il resto di quella sedicente famiglia, e forse anche perché Lampis dopo anni non sa come si chiama, né di che razza è, e non apprezza certe sue virtù molto vantate dal suo padrone, che lo fa esibire ogni volta per lui: salutare seduto, dare la zampina, e ridere, sì, ridere, perché questo secondo il suo padrone è l'unico cane al mondo che sa ridere, ma per Lampis è falso, non è vero che ride: fa un ghigno bavoso e ulula come i suoi antenati ululavano alla luna, e se ti guarda, sì, guarda sempre come ti guardano i cani quando fanno i loro bisogni, che sembrano chiedere clemenza, con sguardo desolato. Guarda l'ora. E pensa che se aspetta abbastanza, in macchina, magari suo figlio torna a casa. Non lo vede da mesi. Deve vederlo.

E intanto, nell'attesa, mimetizzato tra le altre macchine in parcheggio lungo il marciapiede, toglie dalla borsa la copia fresca del primo quaderno del tenente Manca. Poi il secondo, e li mette l'uno sull'altro. Un bel malloppo. Riprende il primo in copia, sfoglia, e mentre sfoglia a caso trova il punto, e si ricorda.

9

Tempo dopo la sua prima visita, Lampis se l'era ritrovato nel suo studio all'università, questo tenente Manca, ma in borghese, a parte quella borsa lisa, molto militare, da dove aveva tolto un grosso quaderno serio serio, di tipo antiquato, ma rilegato con una spirale metallica, dieci volte la quantità media di un'esercitazione: «Ho scritto tutto qui, se ha il tempo e la pazienza...».

Al professore era sembrato che gli stesse chiedendo di leggerlo seduta stante: «Ha scritto tutto cosa, scusi?».

«Sono il Tenente Anselmo Manca, si ricorda?». Mah, forse, una certa somiglianza cinematografica: Boris Karlof? No, Anthony Quinn. «D'accordo, me lo lasci, il quaderno. Torni a fine mese».

Manca era andato via deluso. Ma il professore aveva dato un'occhiata al manoscritto. Bella scrittura, ma strana, difficile da leggere, fitta, senza capoversi, messa in riga da due linee rosse verticali.

E lo riapre adesso, quel quaderno, ricordando, a cominciare dal titolo: *Veglia d'armi.*

Una cosa era chiara ed eccitante quella sera: stavo per impugnare il mio futuro, per realizzare i sogni del passato. Controllo l'ora al polso. La ricordo ancora: le ventidue e zero due del sedici ottobre 1984. Un giorno e un'ora da segnare, davanti all'ingresso dell'Accademia Militare di Modena, faro della mia vita fino a quel momento. Avevo compiuto vent'anni il mese prima, dopo la maturità classica col massimo dei voti...

Già, aveva chiosato il professore, e dopo i soldatini di piombo, dopo San Giorgio con la spada d'oro, Cesare e Alessandro sui banchi della scuola, dopo le Termopili, Ettore domatore di cavalli, Napoleone in campo, il Fieramosca, il Tamburino Sardo e il Piave mormorava...

Ricordo molto bene quella sera, la pioggerella lunga, un omino che si fa trainare al guinzaglio dal suo cane, il cane che mi punta diffidente.

Il professore aveva fatto due starnuti, come spesso anche solo al pensiero della pioggia.

Respirai tre volte. Presi slancio, m'incamminai a passo fermo oltre il portale carrabile verso il grande Cortile Torino, lungo le casermette degli Allievi del secondo anno. La luce dei lampioni faceva spruzzi

d'oro sull'asfalto bagnato e sul selciato del cortile.
Ed ecco laggiù in fondo la sagoma di un militare, alto
e prestante. Misi a fuoco: non ha l'uniforme storica
dell'Accademia, ma da ufficiale dei Carabinieri, con
la sciarpa azzurra di Ufficiale di Picchetto. Da lon-
tano scorgendomi guardò verso di me, schermando
gli occhi con la mano. Portava stivali di pelle da equi-
tazione. La statura, il portamento e tutto il resto mi
confermarono nell'orgoglio di essere un Allievo Uffi-
ciale del Centosessantaduesimo Corso dell'Accade-
mia Militare. Arrivandogli vicino avrei voluto esse-
re in divisa, per salutare come l'occasione richiede-
va. Ma con l'odore tipico di ogni corpo di guardia
incorporai per sempre la figura di quell'ufficiale dei
Carabinieri in sciarpa azzurra, simbolo di Dovere e
Fedeltà.

Anche il cane di prima era un bel simbolo di
fedeltà, aveva ironizzato il professore. E lo aveva scritto, a margine a matita, ma poi cancellato
con un frego.

Per me tutto era iniziato tempo prima, riprende
Manca, quando i normali giochi soldateschi avevano richiami più gloriosi che per gli altri ragazzini. Poi da adolescente comincia *a notare tutte*
quelle cose della guerra fredda, come la volta che *i*
Vopos tedeschi orientali comunisti hanno ammaz-

zato un camionista, un certo Benito Corghi, che a
un varco di frontiera tra le due Germanie era salta-
to giù dal camion fuori tempo a fare da bersaglio,
come uno dei tanti fuggitivi dal mondo comunista.
E poi, non sia mai che il tenente manchi in precisione, ... *ho scoperto la Soglia di Gorizia: quella*
falla nella protezione naturale fornita dalle Alpi da
cui potevano dilagare in Italia le armate del Patto di
Varsavia. A dodici anni avevo già deciso che nel mon-
do c'erano destini che per compiersi aspettavano
anche me: Sarò un soldato della libertà.
Guardia armata del mondo bipartito, aveva anno-
tato il professore a margine a matita, senza cancellare.
No, non si era entusiasmato della prosa del tenente. E aveva messo il suo quaderno in fondo alla
pila di fascicoli in attesa di lettura.
Ci aveva ripensato insieme a tutte le altre scritture sul suo tavolo, su montanari friulani, cicci
istriani, morlacchi, selvaggi amazzonici... Era
indaffarato. Il tenente Manca era tornato invano,
per sapere.

E mentre adesso a Padova, seduto in macchina,
Lampis legge ricordando di avere già letto quelle
pagine, e decifra i suoi sarcasmi scritti a margi-

59

ne, alza gli occhi e la vede, con terrore arrivare sul marciapiede in lontananza, lei, la sua ex moglie. Butta tutto sul sedile a fianco, mette in moto, ingrana e se ne fugge in senso opposto.

Ma si pente, si vergogna, e anche se è ancora lontano dal sapere recitare la commedia della felice e normale famiglia moderna disgregata, fa il giro dell'isolato e le va incontro così, come arrivando adesso da Trieste. Ferma, esce dall'auto, tira fuori di tasca la busta e le va incontro a piedi con l'assegno in mano: «Salve, eccolo qua».

Lei lo prende senza una parola, forse con un grazie a bassa voce, fa solo un mezzo inchino, quasi senza fermarsi. Anche lei non è meglio, pensa con sarcasmo soddisfatto, mica la prende ancora bene, proprio per niente. Ma subito gli viene in mente Bruno, che non ne ha mai parlato, con lui, della disgregazione della sua famiglia, e però sta all'erta, anche se non ne parla, non domanda. Ma li vede e li giudica. Chissà chi ne esce peggio, si domanda Lampis.

10

E adesso via, a Trieste. Via dal ricordo della scena da *pochade*, da tutto quanto gli ricorda troppo il giorno che è rientrato a casa e si è trovato davanti la moglie a letto con quell'altro, e ha cercato di andarsene via senza farsi notare, ma il suo piede in corridoio invece ha urtato qualche tasto della rampa lanciamissili US ARMY di suo figlio Bruno ragazzino, il giocattolo si è messo in moto rumoroso e ha tradito la sua presenza agli amanti indaffarati, ricacciati di colpo giù dall'estasi d'amore.

Meglio i ricordi di lettura degli scritti del tenente Manca, meglio gli scrupoli per averli letti solo in parte. Li sentiva estranei, prolissi, anche vecchi, stantii. E retorici. Ma ne aveva rimorso. Adesso di quei tempi ha nostalgia: i guai del tenente sono ben più grossi. E se ne sente responsabile. Gli ricadono addosso come non vorrebbe. Intanto anche per il professore i luoghi così spesso ripetuti sui cartelli indicatori (Piave, Tagliamento, Vittorio Veneto…), sebbene per lui non siano sacri alla patria come per il tenente Manca, hanno però la forza solenne della storia, fin dalle scuole elementari, sono sacri al coraggio dei soldati della Grande Guerra Vittoriosa. Certo che lui ama pensarsi superiore a certe cose, ma in fatto di coraggio, sotto sotto, non fa che chiedersi com'è possibile temere così tanto una donna che ti è stata moglie. Perché è da quasi otto anni che lui ne ha paura, e confusamente, che è peggio. Ma quest'oggi, sul ponte del Piave, Silverio Lampis se lo dice chiaro e tondo che ha una paura matta di sua moglie. La teme a vento, come si dice al suo paese, ne teme anche solo il più lontano odore, il solo esserci. E così anche lei teme lui, lo sa, lo sanno tutti e due. L'ultima volta che è dovuto salire su da lei, in quella casa padovana, tempo fa, e c'era solo il suo compagno, e poi arriva lei, e se lo vede lì davanti, lei subito si va a rinchiudere nel bagno e da lì dentro si mette a dire a voce alta, come in altri tempi, di non osare nemmeno parlarle da dietro quella porta. Sì, si temono a vento. E il professore sa che lui per questo da allora teme anche le altre donne, anche la Florianic, in un altro modo, non a vento, ma un po' come il gatto scottato dall'acqua calda che teme anche l'acqua fredda. E lui sa che questo lo sa anche Letizia, Letizia Florianic.

Il traffico per un incidente s'intasa, proprio sul Piave. Fermi. Al suo fianco c'è un enorme camion carico di bovini, di manzi, di buoi, certo da macello, decide guardandoli attraverso le assi che li tengono prigionieri. Annoiato lui, annoiati loro. E un manzo bruno proprio sopra di lui sporge il muso, vicino a un vitello che sbava sprovveduto, e il manzo allunga il muso fuori e soffia lento con lo sguardo buono, e a lui sembra di riconoscerci qualcuno, non bovino ma umano: sì, il tenente Anselmo Manca. Ma non fa in tempo a chiedersi a chi assomiglia il vitello sprovveduto, e a vergognarsi e a spaventarsi del pensiero perché il vitello manda fuori un muggito e il manzo sbuffa più bovinamente, e già la carovana si rimette in moto. Appena superato il fiume sacro, Lampis formula il proposito di avere più coraggio, non solo con sua moglie, con la vita, per far contro il nemico una barriera.

11

«E che ci è morto uno zingaro, in quello scoppio in polveriera, scommetto che non lo sapeva neanche lei, signorina, lei che collabora con la divina provvidenza alla sezione zingari», fa il professore alla Florianic, all'università, a Trieste, un paio d'ore dopo.

Ma la Florianic sa, lei sugli zingari sa tutto, non solo perché ha scritto *Gente di discarica*, saggio sugli zingari xoraxanè, quelli dell'elemosina ai semafori, e dunque precisa: «Non era uno zingaro dei miei, il morto nello scoppio. Era slovensko Roma».

«Ne sa già più del magistrato», dice lui spaventato. «Va be' che quello è uno che dice nomadi per zingari, pudicamente».

«Gli Slovensko Roma sono zingari sedentari da secoli, da sotto gli Asburgo».

«Va be', ma lei com'è che sa già tutto di questo zingaro morto nello scoppio in polveriera?».

«Io non mi arrendo all'ignoranza inevitabile, m'informo, io».

Ha certe uscite la Florianic, non sai mai se scherza, con quella sua tendenza all'ironia, dolce sì ma dosata in giù fino al sarcasmo, o in su fino a un'imperiosa gentilezza, lei sicura di sé sui quarant'anni molto più che a venti, e il professore invece quasi a cinquant'anni incerto più che a sedici. Questa dell'ignoranza inevitabile è citazione ironica, perché è uno dei ritornelli socratici del professore: lui lo ripete sempre che l'ignoranza certo è inevitabile, bisogna rassegnarsi, però bisogna soprattutto resisterle, forzarla, anche se ogni verità ci mostra altre ignoranze. Un tormentone, spesso solo cavoli a merenda, ma li diverte a volte, perché ambedue intrattengono rapporti ironici tra loro, e anche con se stessi.

«Lei, vede, signorina», parte prendendole la mano tra le sue, per batterci tre o quattro colpetti, come faceva raramente, a Natale e a Pasqua dice la Florianic, «lei ha un vantaggio su di me, perché lei cerca il vero anche per istinto, io solo per ragionamento», e a tanta premessa, non più del tutto serio, fa seguire il solito predicozzo sul dovere di una strenua ricerca della verità, seminando dubbi ma disposti a tutto per cercarla, anche nel labirinto, senza fili d'Arianna, senza le briciole di Pollicino: «E questa è un'occasione di esser utile, non solo alla verità, ma perché è da tempo che il tenente Manca conta su di me, magari anche per fare anch'io il mio dovere verso la patria, forse, perché no, accidenti, cosa mi fate dire?».

«Cosa le facciamo dire, professore?».

Lui si mette a fare altro, alla scrivania. Nervoso, senza precisione. Farfuglia qualcosa, sul tono di una sua vecchia tiritera che bisogna occuparsi degli altri, perdersi di vista, per poi ritrovarsi. Poi poggia il mento ai pugni e torna al punto: «Be' sì, qualcosa mi succede. Non so cosa, ma sì, quel giovane, quel militare contava su di me, e io…».

«Lei l'ha stregato col suo influsso scettico e sarcastico».

«Appunto, e non posso lasciarlo in balia dei suoi inquisitori. Nemmeno di se stesso». Leva il viso dai pugni: «Sono già stato anche all'ospedale».

«Ci sono stata anch'io, ma all'obitorio».

«All'obitorio?».

«Per quell'altro, il morto nello scoppio, per lo zingaro».

«Perché?».

«Perché no? Me lo ha chiesto lei, ieri notte, per telefono», ed è forse ironica, al solito, per aggirare i sentimenti forti con dei modi rudi, come due vecchi coniugi.

«A ragion veduta la vorrei responsabile con me di tutto questo».

«Di tutto? Anche dei giochi delle tre carte coi manoscritti del tenente Manca?».

Stavolta è più che ironica. Lui arrossisce: «Come lo sa?». Ma che domanda: lei sa tutto, sempre, di ciò che lo riguarda. Almeno fino adesso, fino a questa strana novità. E magari sa pure e si ricorda del secondo manoscritto, quello nascosto al magistrato? E per avere un po' d'approvazione il professore lo tira fuori dalla borsa, il secondo manoscritto: «Negato al magistrato e ai suoi carabinieri, non a lei. Ne faccia copia. Lo rivoglio subito. Ormai è un documento clandestino».

Lei ride un po', con aria complice che aiuta molto Lampis: «Sì, ma all'occorrenza, a scapito di guai, o anche solo di brutte figure, si può sempre dire che questo secondo manoscritto, indebitamente da lei non consegnato, che continua il primo debitamente consegnato, è saltato fuori dopo, qui, per caso».

«Giusto, vedo che posso contare su di lei, e io ci conto».

Lo guarda andare via, assorto ma deciso.

Sì, lei pensa, quest'affare è importante per il professore. Per lui è come una luce violenta in luoghi chiusi, stantii e polverosi. E all'improvviso si sente più libero, più utile, lontano dalle fisime dell'autocommiserazione, della carriera, delle corna, della solitudine, degli alveari di stoppie dei Carpazi: sì, come cresciuto su se stesso. Anche se continua a mormorare quei suoi *no parit verus*, con dei no titubanti della testa: non pare vero come i fatti cadono a valanga, chissà da dove per finire chissà dove.

12

Lampis è concentrato sulle cose sue, seduto al suo tavolo al Parenzo, i due quaderni del tenente nella borsa: pronti alla lettura, sta pensando. Il Parenzo è adatto, sobrio, nei feriali poco frequentato, c'è solo ostentazione dell'attempata robustezza delle travi, di due stufe nordiche e di altre crame istrodalmatiche. Lampis ha un posto fisso a un tavolo presso la vetrata, uno *Stammtisch* di asburgica memoria, anzi *absburgica*, dicono a Trieste senza intoppi. Prende la copia del primo quaderno dalla borsa, lo guarda ricordando di essere già stato qui con il tenente Manca, un altro giorno, a prendere un caffè, con quel manoscritto, e con tutte le feste del cameriere Antonio Trau, tre sardi a Trieste.

Ed eccolo qui, il cameriere Trau, nero, cigliuto e cupo: «Per servirla!».

«Antonio, sai cos'è successo al tenente Manca?».

«Al tenente Manca? Eccome se lo so. Così sfigato, poverino, e sul giornale lo mettono a fianco di quell'altro più sfigato, a fianco del Mercoledì delle Ceneri».

«Di fianco a chi?».

Ma ecco arrivare il Violinista, grande stazza, grandi panni, grande violinista forse, prima di fare il vecchio a modo suo, strambo, con tendenza alla risata immotivata quanto alle chiusure solipsiste. Come sempre si annuncia con un: «Sono solo». E si siede al suo angolo. Si toglie dalla testa una montera da torero, inforca un walkman e ne distilla musica serissima, ma sbarrando o roteando gli occhi verdi sotto i mazzi canuti delle ciglia. Trau gli rassetta il tavolo e il coperto e lo lascia alla musica e al menù.

Torna dal professore spazientito, che si stava chiedendo come mai Trau non gli ha parlato prima dell'incidente a Manca, lì al Parenzo. Ma ora poco importa: «Di fianco a chi l'hanno piazzato il tenente Manca in foto sul giornale?».

«Di fianco a quello zingaro, uno che anche lui veniva qua, due foto uguali, sul *Piccolo*, in prima pagina».

«Uno zingaro, cliente del Parenzo?».

«No, viene, veniva per la cenere. Tutti i mercoledì, che siamo chiusi a pranzo. Ci ripuliva i posacenere, la raccoglieva e poi la commerciava».

«E che schifezza è questa?».

«È per smacchiare le signore». Trau gli spiega che lo zingaro, il Mercoledì delle Ceneri, rivendeva la cenere ai parrucchieri per signora. La cenere di tabacco è l'ideale smacchiatore biologico per pelli delicate. Per una pelle di donna è meglio la liscivia della nonna tabaccona: «Lui comunque, lo zingaro, era tutto pelato, alla Yul Brinner».

«Oggi Kaiserfleisch... alla Parsifal», grida il Violinista, che certo sta ascoltando il Parsifal in cuffia. Trau corre a provvedere per la Keiserfleisch, recitando solenne la sua parte col cliente affezionato.

Poi torna dal professore. Perché Trau, gli dice, è da tempo che vuole parlargli del tenente Manca. Ma il professore era in viaggio, prima giù in Sardegna, poi sui Carpazi, a casa del diavolo. E anche se di Manca non sa molto, Trau gliene parla da informato, e anche se non l'ascolta attento quanto dovrebbe, al solito, dalla sua chiacchiera Lampis coglie un'altra strana coincidenza, o conoscenza: tra il tenente e lo zingaro, quello morto ammazzato in polveriera, ma sì, tra il tenente Anselmo Manca e il Mercoledì delle Ceneri.

«Si conoscevano anche loro?».

«Un giorno il tenente è venuto a chiedere di lei,

professore, e il Mercoledì delle Ceneri era qui per la cenere, si sono salutati e questo e quello».

«Cioè?».

«Così, hanno parlato del più e del meno».

«Così, come ogni zingaro fa con i tenenti di artiglieria?».

«Come due conoscenti».

Al professore sfugge un mah! pesante di perplessità: «Dunque si conoscevano, lo zingaro e il tenente».

Trau fa spallucce e se ne torna a badare al Violinista. Clienti sempre pochi a pranzo a quest'ora, oggi solo due. Bevendo vino rosso il Violinista grida dal suo angolo: «*Mi me vogio ben, zum Wohl!*».

Manda giù, sospira di soddisfazione e aggiunge a voce meno alta verso il professore: «Alla discarica di Repen».

Il professore e il cameriere non ci badano.

«Sì, caro professore, alla discarica di Repen, dico io, se mi vuole ascoltare».

I due adesso fissano all'indietro il Violinista in due diversi modi di curiosità: ma cosa dice?

«Repen, alla discarica di Repen», ripete il grande vecchio.

Lampis è infastidito: «E che cosa sarebbe?».

«Alla discarica di Repen, cercatevelo là, al cre-

paccio di Repen, *wo er gehoert*, il vostro Mercoledì delle Ceneri», precisa il Violinista, che al
solito ascoltava, oltre le cuffie e il Parsifal. «Non
lo cercate sulle mappe, Repen. I posti veri sulle
mappe non ci sono». E ostenta già disinteresse,
preso forse dall'incantesimo wagneriano del
Venerdì Santo nelle cuffie.

Fuori si annuncia un temporale. È il tempo panico che lo precede. Oltre la vetrata un gabbiano
reale in cielo domina i paraggi. È da ieri sera che
il professore fa i suoi starnuti di previsione meteorologica. Trau continua la sua chiacchiera, dice che
lui non ama la pioggia, suo fratello tassista invece sì, che quando piove fa più affari. «Bene, professore, che si mangia?».

Qualcosa per fare andare giù anche il resto. Qualcosa di locale, perché ogni cibo è escogitato a
tempo e luogo per farlo andare giù con tutto il
resto. Noi mangiamo simboli, esagera un collega
semiologo, e Lampis ci si arrabbia. Ma che boccone è questo Manca, da mandare giù? Nel primo quaderno del tenente anche in fotocopia fanno ancora segno le sue orecchie d'asino: ne ha letto su per giù la metà, a suo tempo. E adesso niente occhiali, dimenticati in facoltà. Niente lettura. Resta seduto a contemplare il mondo dai vetri

73

del Parenzo, troppo attento ai rumori della pioggia, ai soffi della macchina espresso, ai rumori da
sguattero all'acquaio, al tintinnio dei bicchieri.
«L'hai fatto tu il militare?», chiede a Trau.
«All'anima se l'ho fatto. La vita militare è una schifezza in artiglieria».
«Anche tu in artiglieria».
«Ah, lei l'ha fatto in artiglieria?».
Il professore glielo lascia credere, per non dare
magari la stura anche ai ricordi militari di quest'altro conterraneo. Fuori piove forte. Trau aspetta la comanda. Niente, Lampis ha un groppo nel-
lo stomaco. E a un certo punto prende e rimette
tutto in borsa e se ne va.
Ma passandogli davanti: «A che punto siamo con
il Santo Graal?», dice al Violinista per saluto.
«Alla discarica di Repen!», ripete il Violinista, con
un gesto dell'indice in ammonizione. «Repen!
Quello portava sempre tutto alla discarica di
Repen, il Mercoledì delle Ceneri».
«Quale Repen? Discarica? E dove sta questa
discarica?».
Ma il Violinista è già di nuovo astratto dietro il
Graal, mentre il professore se ne va cercando di
alleggerirsi la testa da un insistente paragone tra
Parsifal e il tenente Manca, tutti e due folli e puri.

74

«Matto, matto e contaballe», dice Trau sulla porta al professore, accennando al Violinista: «Ieri si è vantato di avere messo le corna anche al Führer, sì, ad Adolf Hitler, sa, con quella... come si chiamava?».

«Eva Braun. Ma quella discarica, Repen, tu l'hai mai sentita da quel tuo Mercoledì delle Ceneri?».

«No, non mi pare. Non lo stavo a sentire. Non più di quest'altro matto del Violinista, con la sua Eva Braun».

«Ci sono pazzie soddisfacenti», dice Lampis. E fende già la pioggia. Se la merita tutta.

13

«Alla discarica di Repen», dice poco dopo alla Florianic, all'università, «cerchiamo notizie dello zingaro alla discarica di Repen».

«Ne ho già raccolte, qua e là e da vecchi giornali. Il suo nome era Zeno Levakovich, cenciaiolo, ferrivecchi e comprotutto».

«E Mercoledì delle Ceneri». La Florianic rimane a bocca aperta, tanto per cambiare, quando lui le dice i risultati di quella che ha chiamato una sua breve indagine sul campo, lasciando il meglio all'ultimo: «E si conoscevano, lo zingaro e il tenente».

«Che cos'è, il titolo di un'operetta mitteleuropea, *Lo zingaro e il tenente*?».

«Che altro sa di questo Nonsochévic?».

«Levàkovich, nato a Buje in Istria quando lì era ancora Italia».

«Levakovich, già, pulce di questa pelle di leopardo dell'Illiria, un essere degli interstizi».

«E delle discariche. Già. E allora?».

Lui vorrebbe sgridarla, la Florianic col vizio di stargli davanti come se lui stesse nella testa di lei senza bisogno di comunicare: «E allora?».

Lei si apre in un sorriso mesto: «Non ci capisco
niente, io, e lei?».

«Neanche io».

E lui se ne va. Ma come a un'impresa corag-
giosa.

In auto si arrampica sul Carso. Vuole arrivare fino
a Spanne. Il tempo è invitante, dopo il temporale meridiano, fa sperare in pensieri più tersi.

Ma l'ultima curva prima della caserma dell'artiglieria Monte Lamone è sbarrata da cavalli di fri-
sia. Un piantone annoiato in tuta mimetica sotto
il sole e armato fino ai denti si rivitalizza per fer-
marlo, gli chiede l'autorizzazione: «Che autorizzazione?».

Non ce l'ha. Quando mai.

E allora dietrofront!

Tutto molto laconico, preciso, militare.

Lampis si guarda intorno.

Silenzio, aria tersa, ma pure ombra e verde, cin-
guettio d'uccelli. Ma nelle cunette, quasi pronti
all'agguato, altri due soldatini, vigilanti. Uno, più
in là, fucile ad armacollo va su e giù circospetto

perché tiene un passerotto sulle spalle, san Francesco in armi.

«Siamo di nuovo in guerra?», chiede Lampis all'artigliere armato di mitragliatore.

La risposta arriva dopo qualche riflessione: «So mica io».

Torna giù, fino a chiudersi nel suo studiolo in facoltà. Si assesta a continuare a leggere il *sunnominato memoriale*. Macché. Lo ha appena aperto al punto giusto ed ecco la Florianic: «Professore, ho un altro paio di notizie sull'affare Manca».

«Spari», le fa, e lei ha un sussulto.

«Sa, lo zingaro, quello saltato in aria, il Mercoledì delle Ceneri, lo conoscevano tutti qui a Trieste e dintorni».

«Io no. E neanche lei che con gli zingari ci razzola, nelle discariche».

«Per questo lo chiamavano *El Cocàl*, che vuol dire *Il Gabbiano* in triestino, come in veneziano, e in friulano pure, anche se adesso i giovani lo chiamano *el gabiàn*...».

«Va be', era gabbiano, ma anche Mercoledì delle Ceneri».

«E aveva un Ape Car per piccoli trasporti di detriti alle discariche di inerti della zona. Era sul furgoncino quando è saltato in aria nello scoppio, che ha fatto anche tre feriti leggeri tra i soldati in polveriera».

«Che ci fa uno zingaro in una polveriera?».

«Passava nei paraggi, dicono, per caso».

«Cartelli gialli segnano bene i limiti di quelle installazioni, guai a sconfinare. Quello col suo furgone dove stava?».

«Dove non doveva, poveraccio. Questo è tutto, per ora, sull'incidente che l'ha ucciso. Il furgone era vuoto. Ma frequentava la discarica di Repen, questo pure è certo, qui sul Carso a ridosso della linea di frontiera. È sospetto di traffici illegali, poveretto. Già, credo che fosse povero davvero».

«Sì, di povertà birbona, pare».

«Padre di famiglia, lascia figli minori e moglie trafitta, senza più risorse».

«E questa discarica... di Repen?».

«Si sa che frequentava la discarica di Repen, sul Carso, quasi a cavallo della linea di frontiera. Bisognerebbe visitarla, questa discarica di Repen. Intanto sono stata agli uffici della ditta che la tiene, a Trieste, qui vicino».

«Ah sì? E che cos'ha saputo?».

«Registrano su computer ogni metro cubo che ci vanno a scaricare».

«Anche dell'immondizia va tenuto un conto».

«E tra l'altro, El Cocàl quest'anno ha scaricato col suo Ape Car parecchie centinaia di metri cubi di detriti provenienti dalla caserma Monte Lamone di Spanne e da una polveriera siglata PSG. Le fatture di Lire italiane 6.500 più IVA a metro cubo sono controfirmate tutte dal tenente Anselmo Manca».

«Ecco perché si conoscevano, lo zingaro e il tenente».

«Manca firmava anche a nome d'altri A.P.S., come scrive Manca. Sa che significa? Assente per servizio. Firmava lui anche per altri».

«Si era pensato tamburino sardo e si è ridotto a piccolo scrivano fiorentino».

«La discarica di Repen, senta questa, professore, pare abbia incorporato l'inghiottitoio di una dolina, o foiba, un bell'esempio di carsismo a sviluppo orizzontale».

«A cavallo del confine, anzi a sottopancia?».

«Sì, risale oltre confine. Fantasie maligne dicono ch'è usata da zingari e altri passanti clandestini, prima e dopo la caduta del Muro».

«E chi lo dice, signorina? E com'è ch'è usata, più precisamente?».

«Voci. Forse è stato, ed è ancora, un passaggio clandestino, di cose, di persone».

80

«Passaggio clandestino o discarica abusiva?».

«O tutt'e due, e qualcos'altro ancora».

Il professore se ne va pensoso, verso altre incombenze.

Ma poco dopo ricompare: «Io però, signorina, anche se non avessi da proteggere il tenente da giudici e carabinieri, be', non so, ma non direi a nessuno di questo che sappiamo dello zingaro».

«Neanche delle discariche?».

«No, e tanto meno agli addetti ai delitti e alle pene, per ora».

«Uno zingaro è sempre come i cavoli a merenda».

«È come le mutande della mucca, dicono sui Carpazi. Quando il mistero è fitto, si deve diffidare di chi ispira più fiducia. Ma noi dobbiamo saperne di più, io ne voglio sapere di più. Non per sentito dire, di seconda mano, non solo voci sull'uso o sull'abuso di quel luogo».

«E su chi è l'abusivo».

«Appunto. Continui coi suoi zingari, col popolo delle discariche. Ma mi raccomando: nel caso, il passo indietro del torero, o la bestia c'incorna».

«Però uno zingaro ci è morto. E io mi occupo di zingari, di cui si occupano anche carabinieri e magistrati».

«Ma lei e loro vi occupate di zingari vivi. Al massimo ladruncoli».

I vivi sono in lutto in casa Levakovich, spiega la Florianic. L'azienda familiare è sbaraccata. El Cocàl da vivo era uno che quando sentiva il dovere di marito o di padre quel dovere prendeva spesso la forma di un ceffone o della cinghia. Ma adesso se lo sognano ancora, moglie e figli e il resto di una grande famiglia allargata patriarcale, hanno visioni e profezie, elaborano un lutto complicato. Non sono gente facile, nell'egoismo del cordoglio. E certi zingari non parlano dei loro morti, mai, per religione.

«Neanche con lei, zingara onoraria?».

«Nemmeno con me, se non per allusioni complicate da disambiguare».

«Sempre meglio dell'Agenzia La Pace vicino a casa mia, che sfoggia il più meschino di tutti i modi per velare la morte e la precarietà dell'esistenza: non solo la tace, e l'adorna, no, la camuffa».

«El Cocàl nel grigio dopoguerra girava con un cane giocoliere, con il padre e il nonno, e le loro donne, prima, leggevano il futuro dalle mani, o dal pappagallo che tirava su i biglietti della fortuna».

«Chiaroveggenti, però adesso zitte».

«Col boom a Nordest lui si è riciclato imprenditore, con Ape Car per piccoli trasporti alle discariche, specie a quella di Repen, dove ricaricava residui utilizzabili frugando nei detriti. E sa di chi è la discarica di Repen? Lo so da un mio cugino, che lavora per lui da commercialista: è di Franco Sekula, diciamo, in fin dei conti e varie complicazioni proprietarie carsiche».

«Di quello che fa l'oro dalla merda, ma si dice parente della regina Elena del Montenegro, coniugata Savoia, buonanima. Ci mancava lui, ci mancava questa. Io non gioco più, torno a casa mia». E se ne va con tutto il corpo indispettito.

«Scommettiamo di no?», gli mormora dietro la Florianic.

14

Infatti Lampis torna a leggere gli scritti del
tenente. Ma si annoia subito, specie di tutti quei
suoi minuziosi doveri militari. E allora si mette
a inseguire un suo ricordo, di una lettura precedente, ricordo vago di pattugliamenti sulla Soglia
di Gorizia, o forse nel Carso Triestino, letto in
altri tempi sul primo manoscritto, verso la fine.
Lampis ripete qualcosa di già fatto e lo ritrova,
il punto dove Manca si racconta come capopattuglia, certe notti, quando lui pretendeva che per
forza del suo zelo anche il silenzio e il buio
cedessero messaggi ai suoi sensi bisognosi di
segnali. Come la notte che una scia parabolica di
luce repentina ha rotto il buio proprio sul confine: ma era solo una cicca lì vicino, gettata da
un nottambulo proprio lì a due passi, che si è messo in ginocchio mani in alto al minaccioso *chivalà?* del capopattuglia.
Il nemico è dovunque e in nessun posto. Ma il Carso non è il mondo sottosopra, il Carso è sopra e

sotto, non si capisce il sopra senza il sotto, e viceversa.

Dentro il buio, con gli occhi che cercavano di trapassarlo al minimo rumore, Manca a volte si vedeva di colpo davanti un gran bagliore, una vampata di sgomento, si stringeva al fucile e rintuzzava gli scherzi della fantasia, che come da bambino gli metteva tra i piedi bestie immonde, rischiando di gridare l'*altolà!* a una vita legittima notturna, perché nel buio vedi forme strane e minacciose, abbozzi di scheletri, esseri infernali che ti fanno sberleffi dietro gli alberi e sui greppi. Come le notti nere del pastore, nell'isola natia. Certe volte la notte è lì compatta tutto attorno: ti muovi, sbatti contro il buio. Meglio il buio pesto, quando gli occhi non servono per niente e non t'ingannano, ti servi di altri sensi, fai esercizi di chiaroveggenza. Come una notte strana nel silenzio fitto, con soltanto lo scroscio di lontane acque, forse interrate dentro una dolina, senza visori notturni, quando temi di avere avuto una botta di sonno, con un inizio di quei sogni infantili troppo spaventosi per essere innocui. E lontano lontano, nel riscuotersi, gli pare di sentire suoni soffocati di una gente in marcia, bizzarri nella notte, da non credere, scherzi del silenzio. E invece sì, sono rumori quasi di una folla. Che si avvicina adagio. Un cane abbaia al buio, troppo forte. E le voci velate si fanno percettibili. Parlano una lingua sconosciuta. Lanciano segni rauchi. Un'avanguardia di tre sagome è già lì, a pochi passi. O sono ancora scherzi della notte? Sono cavalli, cavalli in avanguardia, senza cavalieri, senza finimenti. Che fai, richiami la pattuglia, chiami il capoposto, dài l'alt e il chivalà? In poco tempo si ritrova come circondato da persone, da cani, da cavalli, forse da pecore pascenti, da donne con bambini. Resta in silenzio, incredulo. Il tutto passa lento e sempre lento si dissolve nella notte, sotto una pioggia lenta che complica tutto.

Mi sono appisolato e devo aver sognato, si rimprovera Manca. Sveglia, stringi l'arma, aspetta, nello stupore estenuato, ubriacato dall'odore dell'olio lubrificante del fucile. Finché spunta l'alba dopo il grande buio, e puoi ridisegnare contro il cielo livido le sagome di un mondo più reale, fuori dalle indecenze e le minacce del buio.

Sul poggio un casolare fuma all'aria umida. E come fantasmi usciti dalla notte, ecco la folla mista della tenebra, lontana ormai sull'altopiano, cavalli senza carri e senza sella, zingari in carovana, sorti da chissà dove verso chissà dove, come acque carsiche nel suolo del Carso.

15

Lampis va in biblioteca con in testa il Carso e anche il Sekula, imprenditore di scorie e di rifiuti, dopo di che si è fatto gran palazzinaro, padrone di un giornale locale, di una televisione locale, di una cartiera locale, di una catena di locali. E di buchi carsici. Fatti ricco all'inferno, che poi arrivi in cielo.

In biblioteca chiede all'addetta alla fotocopiatrice di avere copia delle voci *Carso, carsismo, dolina, foiba* da un manuale di scienze della terra.

«Subito?», chiede la bibliotecaria, una che sollecita sempre qualche attenzione, anche del professore che non se ne accorge, e quest'oggi lei indossa un vestito meritevole di un complimento, perché proprio in un giorno come questo lei si è alzata con la sensazione che la vita è bella, e deve farlo sapere, anche col vestito, coi baleni dei ninnoli, un gran sorriso e una cordiale parlantina: «Perché tutte 'ste cose sulle buche, professore?».

«Mi servono subito», la raggela lui, astratto nella lettura della voce *foiba*. Poi mugugna qualcosa intorno a un certo sollevarsi d'orizzonte, sopra il presente inospitale, ma scendendo in basso, sotto. Infine si congratula con lei per la felice collocazione in catalogo del manuale di scienze della terra giusto a fianco di un manuale di teologia: cielo e terra, e subito attaccati un manuale di speleologia e il libro della Florianic sugli zingari, *Gente di discarica*: «Questi me li porto via».

Subito dopo torna dalla Florianic: «Venga, venga via con me».

«Ma sto facendo qualcosa. Sì, la devo fare».

«Venga via, è un ordine!».

«Ma dove? Che monellata è questa?».

«Via, fuori, aria!».

«Ma professore!».

«Andiamo a spasso in macchina sul Carso: ricerca sul campo».

È un tardo pomeriggio a metà maggio, bello, il cielo alto. Il Carso a Lampis sembra una nostalgia della sua Fraus, nell'isola natia: «Ci mancano soltanto i fichidindia e qualche mandorlo».
La Florianic zitta. Non dà informazioni sulla strada, che conosce meglio. Lui non gliene chiede. Vanno a Borgo Grotta Gigante, al museo speleologico e poi a Rupingrande, alla Casa Carsica, con occhi nuovi di sospetto per quei modelli di complicazione sotterranea. Mentre tutti e due stanno lì a leggere e a vedere, un tale, che si dice del posto, si avvicina a Lampis e gli fa omaggio di una copia della sua opera *Metafisica del Carso*, dove sostiene, dice con molta convinzione, che la Grotta Gigante è la grotta del mito degli schiavi di Platone, che il Carso dunque è la matrice dell'idealismo platonico, quindi di tutta la metafisica occidentale, quindi della Metafisica. Lampis e la Florianic riescono a sfuggirgli e a concentrarsi su una grande mappa in rilievo della zona di

Repen, con la sua buca dei misteri: «Che bastano e avanzano, senza Platone e senza gli ultimi neo-
platonici carsici», brontola Lampis, e poi ci si
sprofonda e ci si incanta a gambe larghe, con la
testa ronzante. Lei sempre zitta, ma come in attesa di capire. E a un certo punto, davanti alle
figurazioni dei misteri più profondi del Carso,
Lampis dice: «Ma davvero noi qui vogliamo fare
uno scandaglio che può urtare contro una qualche
vera colpa del tenente Manca, e portarla alla luce
in superficie?».

Lei zitta, lo guarda. Poi lo affianca, è ora di andar
via.

«E magari dover decidere se continuare a pro-
teggerlo dal suo passato?», dice ancora lui fer-
mandosi di colpo nel parcheggio.

Riparte a testa bassa e lei lo segue, anche in attesa che lui stesso si risponda.

Sono già in macchina seduti per rientrare, quando Lampis dice: «O magari è meglio anche per lui
che il suo passato resti nascosto in doppi fondi della sua memoria comatosa?».

Le domande restano lì, già avviati nel rientro.

Ma ancora senza chiederle il parere, di colpo
Lampis prende a destra, in salita, e poi avanti lungo uno sterrato. Un cartellone in cima sulla destra

ha un testo lungo di norme in italiano e in sloveno, davanti a un recinto di filo spinato, dove un cartello arrugginito avverte: *Attenzione! Sparo Mine!*

Prosegue in discesa verso un grande buco, artificiale quanto naturale, pare, sotto il ghigno sdentato di una cava: «Questo non è un posto come gli altri, qui sul Carso», dice lui, dopo una frenata e un accigliato sguardo tutto in giro.

Lei zitta, braccia conserte, occhi da nessuna parte. Mentre lui li cerca, i suoi occhi, anche perché teme di trovarci chissà cosa, incrociandoli: noia, o dispetto, o perfino disprezzo. Poi per ripicca lui esagera in confidenze: «No, questo non è un luogo qualunque», dice quasi solenne, e spiega che qui tutto è come in un suo sogno antico, dove lui cade in un abisso, nella Casa dell'Orco a Fraus, al suo paese, ma sognando si accorge di sognare, riesce in tempo a svegliarsi e a non morire sfracellato nel profondo: «Ne fa mai, lei, di sogni di sprofondo?».

Lei fa un no deciso con la testa, poi meno deciso, quasi un'alzata di spalle, pare spaventata, cosa che non è da lei. Lui riprende a scendere verso la grande buca, ogni tanto a rotta di collo, per le asperità del fondo della strada. Di colpo si ferma nella polvere, dopo una curva stretta, sgommando a pochi metri da una sbarra. Seduto sulla sbarra un ragazzotto nero, con un sorriso largo e una maglietta bianca, bello come un dio, ascolta una sua musica strillante da una radio a tracolla sullo stomaco. Un cane turbolento ce l'ha con loro, i nuovi arrivati, o con la Y10.

Della discarica in quel punto non si vede niente. Il nero dal sorriso grande sta manovrando al rapido sollevamento della sbarra: perché un grosso camion carico, con una scia di polvere, già strombazza contro quel moscerino d'auto così fuori luogo in quella landa, e un altro camion dietro, in doppia scia di polvere.

Via, togliersi di mezzo!

Il professore passa la barriera con manovra che subito diventa un'inversione di marcia che finisce dietro la polvere dei camion che passano quasi senza sostare. La Florianic non fa una piega. Il professore sibila: «*Dute dracului*», e si guadagna un'occhiata di lei. Poi allontana l'auto dalla polvere, con espansive approvazioni e festa di denti bianchi del ragazzo nero che batte a ritmo le mani sulle cosce, e poi si dedica solo a far capire al cane il rapporto fra certe sue canine acrobazie e qualcosa di buono che lui tiene in mano.

In alto, sulla strada bianca, Lampis ferma ancora e scende per scrutare da lassù quella discarica infossata nella depressione. Lei resta in macchina, ma tanto vede tutto. Una ruspa enorme assesta i detriti nel fondo, tra un nugolo inquieto di gabbiani a terra, gabbiani in volo, gabbiani sulla ruspa e sui camion, tanti gabbiani che il vento confonde con i pezzi di giornale in balia di un *borin* di prima estate.

«Ecco perché il suo... Nonsochévic lo chiamavano El Cocàl», dice Lampis, «anche lui era uccello di discarica. E questo è il crepaccio di Repen». Più in alto sul costone, al bordo della strada sterrata, c'è un metallico container solitario, che avvicinandosi risulta adibito a ufficio. In basso una pozzanghera con acqua sufficiente a rispecchiare il cielo azzurro, ma dolorosamente, come se la luce le venisse da giù, da carsiche profondità. Un vento più imperioso leva in aria anche gli uccelli, intestarditi a volare controvento. E un gabbiano, un *cocàl*, su in alto gracchia un verso di disprezzo, poi un altro e un altro ancora. Il professore ha un brivido. Ritorna in auto: «Qui tutto va per la strada dello zingaro», mormora sbattendo la portiera.

«Sarebbe a dire?».

«Si dice in ungherese, una delle lingue di suo nonno fiumano: *cigànyùtra megy*, cioè, più o meno, andare di traverso, come a volte il boccone».

«Detto a chi, qui e ora?».

«Al gabbiano lassù, che gracchia malauguri, e a tutto il resto».

«Ci vanno già, di traverso, i gabbiani del Carso, come gli zingari, dentro e fuori gli anfratti».

«Già, sembra ne arrivino per terra più che in volo, sbucando da ogni buco. In questo posto che sembra la fine, o il fine di tutto: l'inerte rifiuto, la discarica. Sa che in Sardegna si dice che i gabbiani sono le anime di morti male in terra e in mare? Come quel tale... Nonsochévic...».

«Levakovich, Zeno Levàkovich».

«O Cocàl o Mercoledì delle Ceneri, che conosceva Manca. Come lo conosceva lo sappiamo, ma non basta».

«Finisca i manoscritti del tenente, e li faccia avere tutti e due al piemme militare».

Lui si fa rosso per la seconda volta quel giorno per quei manoscritti. Non la guarda, ma sa che i suoi occhi lo stanno canzonando e gli va bene, però attacca: «Niente al magistrato, del doppio manoscritto. E neanche della pista dello zingaro. Promesso?».

La Florianic sorride. Però non promette.

Lui rimette in moto e via, un po' frenetico. Di sotto, il nero ridanciano risolleva la sbarra e li saluta allegro. Di nuovo una frenata nella polvere che all'improvviso spegne il motore, davanti a un sole rosso e polveroso. Lei ferma e zitta, neanche interrogativa. Nel silenzio improvviso una mosca stanca ronza contro i vetri. Lui si riguarda indietro, giù di sotto, alla luminosità serale misteriosa che pare salire da qualche sprofondo. «*La mama dracului*», mormora.

E riguadagna l'attenzione di lei: «Sarebbe a dire, adesso?».

«Questo è rumeno, lingua dei nostri cugini balcanici. Laggiù, oltre il Carso e non so quante frontiere e dogane, insomma in rumeno, *la mama dracului* vuol dire luoghi spersi, a repentaglio, a casa del diavolo».

«Perché continua a dire cose in lingue strane?».

«Nella solennità dello scenario carsico io seguo le ramificazioni dei miei sospetti», dice con ironica solennità. E seduti in macchina davanti a tutto il Carso lui le parla a lungo di certe credenze balcaniche: che dopo morti si passano quaranta e più confini, dogane relative, interminabili gabelle e riconoscimenti, in un accidentato viaggio verso l'Erebo, in luoghi carsici a cavallo di frontiere sotterranee. Sì, c'è anche una balcanizzazione dell'Aldilà, come se non bastasse già quella di qua. E accenna ai racconti vecchi e nuovi che su tutti i Carsi si tramandano di gente finita nelle foibe: neonati mal riusciti, figli del peccato, vecchi solo di peso, testimoni scomodi, i nemici di turno, i fascisti, i titini, gli slavi, gli italiani...

«Torniamo giù in città, la prego», rabbrividisce lei stringendosi nei gomiti. «O mi accompagni al Tram di Opicina».

«Sì, l'accompagno a casa. Dopo vado al Parenzo. Finalmente, ho fame. Magari ci leggo un altro po' di Manca. Bisogna capire di più».

«Anche se ogni capire ci apre a nuovi enigmi».

Lui zitto. Esce dall'auto e subito si china a cogliere un mazzolino di orchidee selvatiche, rientra e goffamente le offre a lei, che senza fiato per la sorpresa lo riceve con spontanea grazia. «Santo cielo, che belle!». E il Carso diventa un beato panorama sotto il sole rosso che tramonta, planando basso.

Lui riparte. E guida con attenzione ostentata.

In una sosta a un semaforo in città, sempre con ostentazione mette diecimila lire nella mano tesa di una zingara che salmodia balcanica con un finto bimbo al collo, e intralcia il traffico sul verde del semaforo, ottenendo una cacofonia di clacson infuriati.

La Florianic se lo guarda seria. Lui fa un'aria di sfida e le mostra la lingua divertito.

«Professore, ha presente la nuova Slovenia, appena sovrana e indipendente qui a due passi?».

«Mi devo abituare a quel suo essere sovrana e indipendente. Perché?».

«Be', si dice che il nuovo presidente sloveno ultimamente ha ricevuto certi delegati delle comunità zingare slovene: vogliono un visto per l'espatrio, rapido però, perché hanno perso tempo con trafile nuove e incerte, ma siccome sono buoni cittadini della nuova repubblica slovena sovrana e indipendente, vogliono fare tutto bene in regola, anche loro zingari, e appunto per questo si rivolgono al signor presidente: devono andare a un raduno di zingari a Verona. Il presidente con pazienza nuova spiega loro le difficoltà della situazione nuova ai confini occidentali con l'Italia, dove adesso è il contrario di prima, a chiudere cortine e fare sbarramenti è l'Occidente. Però promette il visto con solerzia. Dieci giorni dopo li riconvoca: eccovi i documenti belli e pronti. Loro, muti, imbarazzati. Perché, cosa succede? Succede che la delegazione zingara slovena è andata e già tornata da Verona, nel frattempo, alla vecchia maniera».

«E com'è questa vecchia maniera?».

«Ce ne sono tante, troppe, e diverse nel tempo e nei luoghi».

«Ma per esempio?».

«Prima e dopo il Muro, per dire. Gli zingari però non si danno regole, trovano sempre quelle che per noi sono eccezioni. Qualcuna s'intravede pure negli scritti del tenente Manca, custode dei confini».

«Risposte no, però qualche domanda, per lo meno implicita, si trova in quelle pagine, se non ricordo male, anche a una domanda come questa degli zingari che vanno di traverso, come a volte il boccone».

Il prode Anselmo

Il tenente Manca e i suoi due grossi manoscritti,
quanto li aveva trascurati il professore? Ci sono
voluti i carabinieri per farglieli prendere sul serio.
Il tenente Anselmo Manca più volte era tornato
invano all'università, per avere il parere del professore sulla sua prova di scrittura: «Sei o sette
volte è ritornato», parola della Florianic.

«Meglio andare a capo un po' più spesso», gli aveva detto Lampis, solo questo, una di quelle sei o
sette volte, provocando nel viso del tenente un
temporale di perplessità.

«Ma cosa sono i militari, oggigiorno, dopo il
Muro, qui sulla Soglia di Gorizia?», aveva chiesto poi alla Florianic, un'altra di quelle volte,
appena andato via deluso lo studente militare:
«Una presenza più discreta per una funzione dimi-
nuita, come i preti?».

«Speriamo», aveva mormorato la Florianic.

La vita militare finora per Lampis è sempre stata
un limbo senza storia, anche sulla Soglia di Gori-

zia, in quell'imbuto di paura della guerra fredda. A un certo punto però, con la visita di leva l'esercito italiano ha bussato alla vita di suo figlio Bruno, quindi anche alla sua vita. Ma quanto c'era in lui di preconcetto sulla vita militare, si era chiesto ancora, prestando agli altri i propri preconcetti? E aveva spostato ancora il manoscritto del tenente in cima a tutti gli altri della pila sulla sua scrivania, sui pastori e apicoltori dei Carpazi e sui montanari friulani, tanto quelli sono allenati alla pazienza. Un'altra di quelle sei o sette volte il tenente aveva detto con accoramento di essersi rivolto per la tesi proprio a lui perché compatriota, sardo. E Lampis: «Dunque lei ha scelto la tesi in antropologia perché scontento di sé, scontento della società e scontento anche della sua terra d'origine?».

«Della mia terra io sono orgoglioso».

«Bravo, anch'io. Tanto, orgogliosi o scontenti, si resta ciò che siamo». E ride, solo lui. Poi fa per scaricarlo sulla Florianic: «Lei sa fare parlare le persone, sa ascoltarle, anche se lei non si occupa di militari, tanto meno sardi, ma di zingari. Sì, meglio la Florianic, meglio lo sguardo da lontano. Io dei sardi ho smesso di occuparmi, rischiavo di guardarmi l'ombelico. Noi sardi siamo come l'uccello di Borges, che se vola, vola solo all'indietro, lo sguardo fisso al nido da cui parte». Aveva riso ancora solo lui, e aveva continuato a pasticciare su sardi, militari, zingari e studenti: «Sì, meglio la Florianic». Toglie dalla pila il manoscritto del tenente: «Ecco, lo porti alla dottoressa Florianic, qui nella stanza a fianco».

Il tenente Manca, deluso, anche offeso. E il professore aveva ceduto al suo secondo rimorso e gli aveva proposto, pentendosi già mentre lo diceva: «Be', si sieda, mi legga un po' lei stesso, qui. La sua scrittura è ostica per me».

Manca raggiante apre il suo gran quaderno e subito lo attraggono le note a margine, quelle di mano del professore, che però gli ordina: «Salti la prima pagina, l'ho letta».

«Comandi!».

«Riposo, si rilassi, prego, e legga pure».

Schiarita la gola, con voce impostata Manca parte a passo lento di parata: *Avevo il senso di una grande vocazione. Solo un po' paura che il mio fosse un azzardo della volontà. Tutto poteva essere perduto.*

«Tutto fuorché l'onore».

«Prego, professore?».

«Niente, vada avanti, alla garibaldina».

Un Aspirante Allievo è come acciaio, disse il Signor Comandante il primo giorno, acciaio duttile ma duro, e qui gli diamo forma. Stringi i denti e vai! Per mesi io lo mugugnavo, lo cantavo, lo fischiavo: *stringi i denti e vai!* Mi sorprendevo a denti stretti, mollavo le mascelle e le sentivo indolenzite. Noi Aspiranti i primi giorni riempivamo i corridoi, quando marciando a destra lungo i muri in file compatte ci spostavamo per andare da un'aula all'altra del Palazzo Ducale. In quei momenti potevamo constatare che ogni giorno decimava i ranghi. Ho imparato anch'io a riconoscere chi puzzava di treno: gli veniva una faccia svogliata, le spalle basse, e quando li vedevi con le mani in tasca avevano già comprato il biglietto di ritorno. Io stringevo i denti. Tre mesi dopo, del mio plotone rimanevamo io e Carlo Savio: «Io perché sono Savio e tu il Prode Anselmo», scherzava Carlo Savio. Ma era una selezione naturale, la sopravvivenza del più adatto.

«Del più adatto a cosa?», mormora il professore. Il tenente niente. Leggeva con trasporto: dei modi di scoppiare, di prove di coraggio e di paura, di lanci da sette metri sul telo teso dai compagni, *sincronizzati come le statue di un orologio in un campanile svizzero*, diceva l'istruttore. E a tre di loro un'incertezza nell'istante del lancio costa caro: infortunati, e via, a casa, riformati.

«*Tutti i macachi a casa*», proclama *Carlo Savio a petto gonfio. E io sotto a studiare in quelle grandi aule. In silenzio, comunicare di nascosto a segni di alfabeto Morse. Solo attimi di distrazione, certi pomeriggi, col sole polveroso, guardando il mondo esterno da finestre coi vetri colorati che mostravano fuori automezzi impossibili su ruote ovali, un mondo esterno da tenere a bada.*

«Come dei monaci novizi».

Il tenente si sente incoraggiato e aggiunge improvvisando: «Sì, tenevo duro. Il mio cappellone Carlo Savio ripeteva che non riusciva a usare in positivo parole come morbido, flessibile, cedevole. Io ho imparato a cedere e a tacere almeno quando i cappelloni scherzavano col mio cognome, come agli appelli e contrappelli: manca Manca... Manca manca il bersaglio... Ma per lo spirito di patata di caserma c'era chi aveva la sfortuna di chiamarsi Felice Mafesso».

Il tenente, serio. Il professore era stato salvato dalla Florianic, che sempre precisa lo avvisava di ogni cosa. Stavolta, che era ora di scendere a lezione.

«Vengo anch'io», aveva detto Manca, già in piedi quasi sull'attenti.

«Certo, non può mancare», aveva mormorato il professore per se stesso.

Era entrato in aula scortato dal tenente. Ma gli era venuta male la lezione sulle manipolazioni ornamentali corporali, che dimostrano che si è uomini da quando si è iniziato a costruire il corpo, come i progenitori appena via dall'Eden, quando si sono visti nudi. E dunque non è vanità, e accenna alla ragazza dark vistosamente esposta al primo banco: la vanità è la cosa meno vana perché serve, eccome, non solo a farsi umani, ma anche alla riproduzione della specie. Stava cercando di mostrare che questi argomenti non sono lontani dalla vita di ogni giorno, e di accorciare la lontananza da cui i professori parlano agli studenti in quelle aule. Ma la ragazza dark se l'è svignata. L'aula si è risentita, poi distratta, infine decimata. Solo il tenente Manca e un francescano in tenuta freakettona avevano seguito ad annotare puntigliosi.

Dopo la lezione aveva ritrovato il tenente Manca a piantonargli la porta dello studio, con quella borsa lisa e una furtiva sigaretta: «Ottima lezione», dice il tenente.

«Mah, se lo dice lei, grazie tante! Piuttosto senta, Manca, mi tolga una curiosità. Ce l'ho da quando giocavo ai soldatini. Che cosa succedeva ai tamburini, nelle battaglie campali come quelle napoleoniche... al Tamburino Sardo... ai ragazzini che marciavano rullando in prima fila, piccolini davanti ai granatieri... che ne era di loro quando scoppiava la battaglia?».

Manca non è uno che tira a indovinare: «M'informo. Le farò sapere».

«Sì, la consideri una prova, per la laurea in filosofia».

2

Di nuovo nello studio Lampis aveva preso il manoscritto, aveva cercato il punto e lo aveva rimesso in mano al suo studente militare: «Si sieda. E legga ancora per me, la prego».

E Manca legge di quando finalmente, con tutto il Primo Battaglione, anche lui è partito a casa per Natale, alla prima licenza, in uniforme storica, spalline dorate di allievo ufficiale e stanghetta di allievo del primo anno. E in aereo per Cagliari, rigido e appuntato, una ragazzina, incrociando il suo sguardo, gli ha fatto una smorfia a lingua in fuori. Suo padre poi lì per lì non l'ha riconosciuto. Ma come piangeva quando l'ha abbracciato, di un pianto secco, a singhiozzi. Non sarà molto militare, però ha sentito anche Manca due lucciconi subito inghiottiti. Era anche la commozione dell'orgoglio. Suo padre ha terminato i convenevoli esortandolo a tenere ancora sempre alte le buone tradizioni di famiglia.

«Quali tradizioni di famiglia?», brontola il professore.

«Scusi, non devo scriverlo, non c'entra?».

«C'entra, c'entra sempre tutto. Ma prosegua».

E c'è stato l'incontro con la madre: «Come sei bello, figlio mio...». Ma qui, commosso, il tenente non poteva proseguire la lettura. Non legge ma parla, riesce a dire: «Mamma, poverina, ricoverata d'urgenza, era stata operata. Mio fratello medico mi aveva descritto con crudezza esatta il decorso del suo male: quello per lei era l'ultimo Natale. Lei l'aveva sognata più di me, l'Uniforme Storica. Be', professore, non rida di lei, rida di me che la notte prima d'indossarla avrei riacceso la luce per guardare i capi nuovi ben disposti sulla sedia lì vicino al letto, come la notte della prima comunione per provare il nodo al cravattino, per bilanciare le bretelle con lo schiocco».

Lampis gli aveva fatto cenno con la mano: torni al testo.

Manca torna al suo quaderno. Alla vecchia stanza dove appeso al muro come un santo, riecco il vecchio quadro col ritratto del padre di sua madre, del nonno morto giovane sul Carso nel '18, dopo una licenza a casa che l'ha fatto padre di sua madre, morto di palla austriaca proprio gli ultimi giorni di guerra, anzi le ultime ore, dice la saga di famiglia, sepolto a Redipuglia: *Presente!* Sua madre, nata nel '19 scampando alla spagnola, conosce suo padre solo da quel ritratto in uniforme da cavalleggero. Era sempre stato in salotto, col suo elmo a cresta, gli occhi spiritati sotto la gronda di ferro dell'elmo che per Manca bambino era l'elmo di scipio, e scipio era il nobile metallo di quell'elmo, l'elmo del nonno che a sottopancia nel ritratto aveva scritto *venustus et audax*, motto del Reggimento di Cavalleria Piemonte Reale, quello che non si sa dove finisce l'uomo e inizia l'animale, diceva suo fratello sovversivo, ma per lui sogno dell'infanzia, l'elmo e tutto il resto, come ha scritto in un tema di terza media dal titolo «*I have a dream*». Sua madre l'aveva destinato alla stanza di Anselmo. Prima di togliersi l'uniforme, quella notte, l'allievo Manca gli ha fatto il saluto d'ordinanza, come da bambino, ma stavolta come si faceva nel Quindici-Diciotto, a questo nonno antico ma rimasto per sempre suo coetaneo, come quelli che sono prediletti dagli dei, dicevano gli antichi, e anche sua mamma, che l'ha insegnato a scuola per quarantasette anni. Presto la mattina dopo Manca va a trovare suo fratello, più vecchio di lui di ventun anni: Anselmo è nato che sua madre era già oltre i suoi quaranta. E questo suo gran fratellone, sposato con due figli, con una bella stazza di novanta chili a fare buona guardia alla sua anima tranquilla, vive in quartiere di Castello tra le nuvole. L'edicolante di Castello, sempre impalato sulla soglia del chiosco in Viale Buoncammino, stavolta gli ha sorriso, quando l'ha riconosciuto nonostante la divisa. Manca voleva vedere se nei giornali c'erano notizie dell'incidente aereo su Palermo Punta Raisi. Su quell'aereo c'erano tre suoi cappelloni siciliani. Non si dava notizia di scampati.

«È tornato il prode Anselmo!», grida suo fratello già prima di aprirgli, appena intravvisto allo spioncino. Come fa da sempre con la vecchia cantilena:

Passa un giorno, passa l'altro,
mai non torna il prode Anselmo,
che per esser troppo scaltro,
andò in guerra e mise l'elmo.

Ed era stato il professore a continuare:

Mise l'elmo sulla testa
per non farsi troppo mal,
e partì la lancia in resta
a cavallo d'un caval.

«La conosce anche lei!».

«La imparavamo a scuola, ai miei tempi, chissà perché».

«Ma non se avesse avuto mia madre per maestra. Come la odiava mamma quella poesia: mio nonno si chiamava Anselmo».

«Il nonno materno, quello dell'elmo di Scipio?».

«Sì, e sul nonno eroe del Carso e del Piave mia madre non tollerava giochi o scherzi. Ma mio fratello sovversivo si diverte ancora a dirmi quella tiritera».

«Be', li capisco tutti e due. Ma perché sovversivo suo fratello? Ma no, lasci, vada avanti, torni al testo scritto».

Dal testo scritto risulta che il fratello medico gli fa il punto sulla mamma, già molto grave, mentre Anselmo ha successo coi nipoti, per l'uniforme storica, il chepì, lo spadino e tutta la sua bella ferraglia modenese. E a riascoltarlo dal fratello e dai nipotini, e a ripensarci dopo stando attento, l'accento della sua città gli è parso forte, strascicato, estraneo quanto a Modena i vari accenti dei compagni di corso i primi giorni, quando ha deciso di curare il suo modo di parlare, di adeguarsi alle norme della corretta pronunzia, sul suo fondo nativo di Sardegna. A Modena ha seguito un corso di dizione: «Hai messo in divisa anche il parlare», gli ha detto suo fratello.

Ma quella sera di Natale a tavola c'era la tovaglia dei giorni di gran festa, candida e inamidata, di un bianco che feriva. Sua mamma l'aveva voluta così, coi piatti e le stoviglie del servizio buono. Poi in televisione hanno parlato dell'incidente aereo. Anselmo ha chiesto silenzio, con il cuore in gola. Uno dei tre allievi siciliani del suo corso aveva salvato in mare se stesso con due altri passeggeri. Non ne ricorda il nome, gli dispiace, ma quella sera di Natale avrebbe voluto dirlo a tutti intorno, per le strade, gridarlo alla finestra: quello è un mio cappellone! Hanno fatto un brindisi per lui. Ma di tutto quanto c'era in tavola, sua madre non è riuscita ad assaggiare quasi nulla: «Sono commossa, troppo», ripeteva guardando Anselmo, con quel sorriso debole con cui si scusava per non potere fare di più, ma con la sua rassicurante forza nello sguardo, nel ricamo minuto delle rughe che fino allora Anselmo non aveva mai notato: «Sono troppo commossa». E vedeva suo figlio come uno scampato, non solo all'incidente aereo.

Anche la zia Bonarina quella sera era con loro. Zia Bonarina, sorella di sua madre, anzi sorellastra, nubile, perché la madre di Manca è figlia unica di quel nonno ventenne morto in guerra che sta appeso in testa al letto, nella sua stanza. La zia Bonarina in quella notte santa era lì per raccontare ancora, come sempre, specialmente ad Anselmo, che la sua vita era un concorso in crescita di pene e patimenti. Quasi volesse dire che quelli di sua sorella erano ben poco al suo confronto. La sofferenza è sempre stata la prerogativa di zia Bonarina, guai a chi gliela usurpa, nemmeno sua sorella. Anche quella sera zia Bonarina ha ripetuto la vecchia storia, come se nessuno la conoscesse, di nonno Bisogo che va in guerra e finisce attendente del marchese Zapata di Castello. Ma no, lascia perdere, le dicono, ma lei no, perché zia Bonarina non vive di obbedienza militare, che secondo lei impedisce di capire. E poi lo sanno tutti che gli uomini si stancano presto di badare a se stessi, si sfogano un po' fuori di casa, vanno a spasso e alla bettola, poi tornano a farsi servire dalle donne, come bambini che rincasano per fame. Ma se in guerra ci vanno quelli come nonno Bisogo a far da serve ai capi, certo che quelli a casa non ci vogliono tornare, ma continuano il gioco maledetto, serviti dai soldati, che vergogna.

«Tu vai per la tua strada, figlio mio», gli dice sua mamma a mezzanotte, col bacio sotto l'albero.

Il professore voleva dire la sua simpatia per la zia Bonarina: «Però senta, ma questo suo fratello, perché l'ha chiamato sovversivo?».

Il tenente qui aveva perso il filo, la disinvoltura. Si guardava le spalle, lisciava le pagine del manoscritto, poi ci cercava dentro: «Sai, io adesso sono ateo, mi ha detto un giorno mio fratello, serio, lungo la scalinata della cattedrale. Io ero un Anselmino dodicenne, lui era laureando in medicina. Stavano suonando le campane di Pasqua. E poi un'altra volta ancora, con tono di sfida e voce quasi minacciosa, mio fratello mi fa nei giorni del sequestro Moro: sai, sono diventato rivoluzionario. E cioè? Be', una specie di... di comunista. Oh sì, io lo sapevo già. Era un segreto di famiglia. Da tenere in casa, da non dire nemmeno al medico condotto, anche perché io ero destinato da mia madre e da me stesso alla carriera militare, e allora a Modena non si arrivava con un fratello sovversivo».

«Già. E lei comunque è meglio in orale che in iscritto, caro Manca. Ma vogliamo tornare a Modena magari, all'Accademia?». E si era alzato. Poi con spavento si era sentito dire con il suo vocione, mentre s'incappottava: «Anzi senta Manca, adesso devo proprio prendere un caffè, e credo anche lei. Mi faccia compagnia, e magari continua a leggere qui sotto al Parenzo, le va?».
Ed erano scesi al Parenzo.

3

Manca aveva un bel portamento militare, una grazia solerte mascolina, di fianco a un quasi cinquantenne corto e malandato come Lampis. E se invece dell'esercito italiano, aveva pensato allora il professore, e lo ripensa adesso per scaramanzia, se per la tesi magari lo mandassi in licenza nella sua storia di famiglia? Ne devo parlare alla Florianic.

A lui e all'ufficiale quel mattino il cameriere Antonio Trau aveva fatto molte feste, al Caffè Ristorante Parenzo. Una rimpatriata, tre sardi a Trieste, come nel Quindici-Diciotto, in combutta per Trento e per Trieste e *fortza paris!*

Trau li aveva fatti accomodare allo *Stammtisch* di Lampis. Nessun altro a quell'ora. Faceva freddo: «Quando a Trieste è freddo, è freddo», parola di Trau, al quale Lampis entrando aveva fatto un cenno complicato: spegnere la radio, accendere la stufa e due caffè.

«Dunque, Manca, lei teneva duro all'accademia, stringeva i denti, a Modena».

«Magari stringevo tutta la bocca, perché stavo seguendo il corso di dizione».

«Già, ha messo in uniforme anche l'accento», ride il professore, tenendo tra le mani la tazzina di caffè, per goderne il calore, e col sollievo della radio spenta.

Davanti al suo caffè Manca fuma e s'impappina sull'opportunità che un ufficiale non resti troppo regionale nel parlare, sul tavolino sistema il quadernone dove ha tenuto tutto il tempo l'indice sinistro a segnalibro, se lo piazza davanti aperto al punto giusto, e a un gesto del professore riprende la lettura, su di mezzo tono.

Come primo nella lista dei meritevoli, il Comandante dell'Accademia Militare pro tempore Signor Generale di Stato Maggiore Vitaliano Modoli ha consegnato a Manca, di sua mano, con una dedica scritta di suo pugno, il volume *I corpi dell'esercito*, nel corso di una breve cerimonia, libro che Manca poi ha letto molte volte, ne può recitare lunghi brani…

Il professore aveva messo una mano avanti, come per scongiurare la minaccia di una tale recita. E con un'altra occhiata aveva allontanato il cameriere Trau, che ciondolava intorno, orecchiando, con finta discrezione. Il tenente si era guardato

117

alle spalle quasi stesse per fare un'imprudenza. E a voce un po' più bassa si era dato alla lettura della sua *parte attiva nel* G.S.A.M. *(Gruppo Sportivo Accademia Militare)*, di com'era stato *portato sugli scudi al* T.S.I. *(Torneo Sportivo Interaccademico)*, primo nel mezzofondo, con lo spasimo delle ultime falcate, il pianto di gioia, gli applausi degli alti ufficiali con le mani inguantate, e infine la squalifica per scarpe irregolari: vittoria al secondo arrivato, Carlo Savio.

Trau riordina. Manca legge del suo primo campo estivo, montaggio tende, ordine e pulizia, all'interno e all'intorno, senz'acqua corrente, anche stagnante poca, niente doccia, radersi con espedienti, vesciche e contusioni per le lunghe marce, sempre al comando di qualcuno come i topi dietro il pifferaio, con gli anfibi rigidi: «Dovete imparare a usarli come scarpette da balletto voi gli anfibi!». Per cinquanta chilometri al giorno, prove di resistenza e di coraggio fisico, crudeli percorsi di guerra, guardie armate notturne a protezione dell'accampamento, dormire col fucile al cinturone. Altri compagni infortunati. Nella prova finale di campagna Manca è il primo del suo battaglione.

«E Carlo Savio?», aveva chiesto il professore.

«Secondo, ricordo bene. E ricordo la volta che in addestramento all'uso della bomba a mano attiva, al momento del lancio a Carlo Savio sfugge la granata, il comandante di plotone grida di rabbia e di paura: "Allievo Savio!", mentre io già la raccolgo e lancio via secondo istruzioni. Mi scoppia ancora in mano, nei miei sogni».

«E quel deficiente, Savio?», gli fa da dietro il cameriere Trau.

Manca si gira, calmo: «È diventato un ottimo ufficiale, il migliore del corso». E torna al manoscritto.

In licenza estiva, sua mamma malferma sulle gambe aveva ancora un poco di sorriso. Era d'agosto, tempo di mare. Ma lui stava con mamma. La pratica del campo serve, quando la notte sua mamma svegliava tutti con i suoi lamenti. Anselmo correva e stava lì, col dovere nel cuore, come un'antica veglia d'armi...

Qui Manca aveva scrutato in faccia il professore, e aveva capito che doveva saltare le sue notti a guardia della mamma.

Ed eccolo di nuovo a Modena, mentre controlla il tabellone con la graduatoria del suo corso, con il cuore in gola: primo, si è classificato al primo posto tra gli allievi delle Varie Armi. Scatta sull'attenti. Poi fa cucire i gradi sulle sue uniformi, triste che a farlo non fosse la mamma. Telefona a casa: «Sono Allievo Scelto e sono stato il primo». «Bravo, ti sei fatto onore, alla tua età», gli dice suo padre, perché il figlio ideale di suo padre era sempre al di sotto di una certa età: neanche dieci anni e già compositore, diceva di Mozart; neanche trent'anni e già generale, diceva di Alessandro, di Cesare, di Napoleone; e del nonno Anselmo che nessuno ha conosciuto: «Neanche vent'anni e già un eroe morto», diceva suo fratello studente sovversivo.

Telefona a casa tutti i giorni: la mamma peggiora. Nei pressi della Soglia di Gorizia, sul greto del Meduna, a una esercitazione della NATO, Display Determination si chiamava, geometria di movimenti, colonna sonora di detonazioni, raffiche, esplosioni, videogame di tracce e di scintille, all'improvviso gracida la radio da campo: mamma muore, pensa Anselmo. Sì, mamma muore, si convince. Infatti al telefono ne ha la conferma. A fatica ottiene cinque giorni di licenza per G.M.F.

«Gravi Motivi Familiari», scioglie alle sue spalle il cameriere Trau, ormai tollerato all'ascolto, dopo sgombrato il servizio da caffè e portato un bicchiere d'acqua per il tenente, perso nei particolari del suo tentativo di tornare a casa per sua mamma: tutto esaurito il volo da Bologna, chiuso per nebbia l'aeroporto di Forlì, corre in treno a Linate per un volo notturno, tutto il tempo a pensare a come avrebbe fatto a sopportarne l'agonia che immaginava in quadri orribili di pena. A Milano diluvia. Guarda attraverso i vetri la cortina d'acqua alla luce di lampi e di lampioni. Passano ore. Questi annullano il volo. E difatti l'annullano. Corre a un telefono a gettoni: «Mamma come sta?». «Tua madre è morta stanotte alle dieci e trenta», gli fa suo padre con voce che gli suona minacciosa. La tensione gli si scarica sulla moquette di gomma di Linate, bagnata dagli anfibi di un soldato senza gli ordini del caso.

Tagliasse almeno corto con la mamma, si pente di pensare il professore. Purché non me ne mostri anche la foto, sfilandola dal portafoglio, sempre lì sul cuore, ci scommetto. Ma sì, anche le madri dei tenenti muoiono, e ne soffrono i figli, e ogni dolore merita rispetto, come faceva il cameriere Trau, compunto alle spalle del tenente che leggeva: di come a casa poi anche Anselmo si occupa dei terribili dettagli della morte. «Va' per la tua strada, figlio mio», gli ripeteva mamma con occhi luccicanti di una sua visione del futuro, distesa con la testolina quasi calva avvolta in un suo antico scialle grigio perla.

Al funerale mette l'uniforme storica: a lei piaceva tanto. Non riesce a convincersi che in quella bara lì c'è lei, in chiesa dove adesso Anselmo si rivede in braccio a mamma, tra donne che profumano al basilico e alla menta, come al balcone di casa, nella rugiada mattutina.

Un sogno ripeteva Anselmo in quei tremendi giorni, e anche in volo nel viaggio di ritorno a Modena: sua madre che lo lascia tutto solo, fa una breve corsa sulla sabbia bianca del Poetto e poi scompare lenta sotto l'acqua, prima le gambe, poi l'intero corpo e infine anche la testa stretta in una cuffia di plastica che annulla i suoi capelli e la fa calva... com'è rimasta calva fino all'ultimo, di chemioterapia: il bambino Anselmo è lì col fiato mozzo, rifiata per scoppiare in pianto, perché mamma è stata ingoiata da quel mare scuro... ma stavolta Manca non fa in tempo a sognare il suo sogno fino in fondo, fino a quando mamma riemerge e corre a dirgli gaia e gocciolante: «Stupidino, non piangere, la mamma è qui», no, stavolta mamma resta giù, sott'acqua, per sempre... mentre l'allievo Manca è risvegliato dal suo sogno, prima che finisca, dal rumore dei carrelli dell'aereo a contatto con l'asfalto della pista di Bologna Borgo Panigale.

A Modena le condoglianze lo fanno salire fino al Capo di Stato Maggiore dell'Accademia Militare, subito il giorno dopo. Manca ricorda e scrive minuziosamente tutto perché tutto era amplificato come quando si ha la febbre. E forse ce l'aveva. E poi era la prima volta che aveva quest'onore, di un colloquio con il Capo di Stato Maggiore, un uomo già grigio, con una voce suadente, i modi premurosi, un uomo d'altri tempi, ai nostri poco interessato. Agli occhi di Manca era un vecchio molto per bene. Sembrava Garibaldi, ed era chiamato Garibaldi. Per lui però non era un complimento. Come saluto dispensava sempre avare constatazioni meteorologiche: «Oggi piove», oppure: «Sole tutto il giorno, eh?». Si diceva pure che da poco avesse avuto due minacce d'infarto. Quel giorno a Manca è parso pallido e tirato, in quell'odore antico di cuoio di poltrona: «Ragazzo mio, perché non hai informato il comando?», gli chiede subito, come se continuasse una conversazione. Manca inghiotte qualcosa che gli resta fermo nella gola: «Se fosse servito, a mia madre...», sente dire a se stesso. Il

Capo di Stato Maggiore ha un trasalimento, poi un mezzo sguardo di rimprovero, incerto sul che dire o fare, spostando cose sulla scrivania, quasi mettesse in ordine i pensieri nella testa, e conclude: «Che non succeda più, mi raccomando, Allievo Scelto Manca».

Che non succeda più che cosa? Manca lo saprà tempo dopo, che avrebbe dovuto informare su quell'altro guaio, sul fratello maggiore sovversivo, segreto custodito da sua madre e adesso appena morta viene fuori, come dal vaso di Pandora.

Già, ma com'è, se del fratello sovversivo fino allora Manca aveva raccontato in confidenza solo a Carlo Savio? Il primo grosso punto interrogativo di un plotone di punti di domanda in marcia fuori passo verso chissà dove. Ne parla a Carlo Savio, ne ottiene un: «Ma niente, lascia perdere» e un'alzata di spalle, di quelle riservate alle pedanterie.

Ma le idee gli si arruffano, le deve smettere, e corre giù in palestra a sollevare pesi. Meglio i pesi fisici. Non era lì però che lo scarpone anfibio gli stringeva nella marcia.

Per marciare sicuro sulla strada per la quale aveva avuto il viatico materno, Manca s'impegna a imparare a memoria tutto il Regolamento di Disciplina Militare: «Tutto? Ti andrà di traverso», gli ha detto suo fratello medico al telefono.

Qui il professore si era intromesso, lì al Parenzo: «Spero abbia dato retta a suo fratello. Ma basta così. Non ha la gola secca?».

Manca beve, con gesti imbarazzati: «Piuttosto, professore, che ne dice?».

Lui zitto. Manca si aiuta con la sigaretta. Anche Trau aspetta la sentenza.

«Ecco vede, Manca, va bene, certo, ma forse poteva anche fare un'altra cosa». Il viso del tenente Manca è deluso quanto il viso nero e irsuto del cameriere Trau, che in più mostra disapprovazione. «Ma comunque, lei, Manca, ne viene fuori bene». Il professore si era fatto ridare il quadernone di fogli usobollo scritti a mano, con penna a pennino in un'antica fureria.

Il tenente Manca si era congedato in quel suo modo elaborato, e con speciali attenzioni compaesane era stato scortato alla porta dal cameriere Trau, che ritornando dal professore non si tiene più: «Troppo bene scrive invece il tenente, e con profondità. Erano belle parole, e lei…».

Lui stava guardando fuori a una macchia di sole che diminuiva: «Tu da bambino, Trau, dimmi un po', quando giocavi a guardie e ladri, anzi: a banditi e soldati, come si fa da noi, tu da che parte stavi?».

«Io? Bandito, sempre».

«Appunto, anch'io».

Lampis era rimasto lì seduto muto a contemplare il mondo dai vetri del Parenzo in uno scuro giorno di febbraio. La macchia di sole non c'era più. Poi era scoppiato un temporale, un diluvio tale che al professore è venuta la fantasia di essere in un sottomarino, in un batiscafo, non in un bar, guardando di fuori solo acqua, mentre Trau fa il barista con gesti precisi come in una sala macchine. Era stanco e grigio, come il clima. Come un vecchio perplesso per le cose della vita.

4

E sì che Lampis poi le aveva trascurate le scritture del tenente: fino a una notte del 1992, più di un anno prima della visita dell'Arma sotto casa sua. È stata la guerra, la guerra del Golfo, la prima, il glorioso *Desert Storm* per liberare il Kuwait, che ha fatto interessare tutti quanti all'esercito italiano, e ha fatto interessare Lampis di nuovo e un po' di più al suo studente militare. Al primo sonno quella notte il telefono l'aveva svegliato crudelmente: «Sì?». Una voce di donna minacciosa, alterata. La riconosce a stento, forse al tintinnio degli ornamenti ai polsi: sua moglie. A quest'ora? «Cosa dici, che c'è?».

«La guerra, sto dicendo. La guerra! Siamo in guerra!».

«Ma che guerra e guerra!».

Sì, guerra! E lei lo vede già, quel Saddam, il Ladro di Baghdad che si è preso il Kuwait, lo vede scatenato contro il figlio Bruno, povera stella: «E tu te ne infischi di tuo figlio».

Malmenato dalla nausea, Lampis poi capisce: suo figlio Bruno ha ricevuto la cartolina per la visita di leva, e adesso nella notte sua moglie ha appena visto alla tivù le bombe americane contro Baghdad: «Ci sono anche gli italiani», e lei vede suo figlio nella mischia: «Ma tu lì che fai?».

«Io... ho firmato due manifesti pacifisti».

«Solo firme sai mettere, e aggiungerti ai cortei. Che serve?».

Se lo chiedeva anche lui. Non l'aveva calmata. Lui si era calmato, per ripicca.

Giù il telefono, accesa la luce, Lampis si era alzato, era disceso nel soggiorno, aveva acceso la tivù. Nella poltrona televisiva aveva assistito alla fantasmagoria notturna dell'estirpazione chirurgica dal mondo di Saddam Hussein, con bombe bisturi, intronato dalla telecronaca dei bombardamenti come a un match di football. Il cielo di Baghdad era solcato da sciami di bombe intelligenti, consce del bersaglio. I marines avevano lasciato in patria il proprio sperma in frigorifero.

A letto molto tardi aveva ripensato a Manca. Aveva cercato il manoscritto nella borsa ed era corso avanti a leggere da dove Manca stesso era arrivato in ristorante: solo un poco, poi un altro poco, poi si era messo a scorrere, ottuso dalla vecchia sensazione di estraneità, leggendo a caso in diagonale, cercando agganci all'attenzione. Chissà quante volte quella notte Lampis si è posato sul petto il manoscritto, rimanendo a fissare il soffitto, sopra le lenti da presbite. Poi aveva ripreso la lettura, col dovere nel cuore, di pagine e pagine di un minuzioso rendiconto della sua istruzione militare alla Scuola di Applicazione, a Torino, all'Arsenale.

Legge di quanto Manca scrive del *Mak P 100*, una di quelle astruserie militaresche, ma di cui Manca dice che se c'è felicità, quella lo fu, perché il soldato nasce il giorno del suo giuramento, come ha detto con solennità il Generale Comandante davanti alla Forza Schierata. E poi di quando è arrivato il momento decisivo di scegliere l'Arma. Per posizione in graduatoria Manca poteva scegliere l'arma che voleva. Ha scelto Artiglieria perché già coltivava ambizioni missilistiche. E finalmente, il giuramento individuale davanti al Tricolore, rito di passaggio al nuovo stato, definitiva investitura, mentre tutte le campane di Torino gli paiono impegnate nel compito armonioso di annunciare la sua promozione. Anche stavolta è venuto suo padre.

«A prendere atto che faceva onore alle tradizioni di famiglia», aveva scritto e cancellato il professore. Che poi, sempre la notte di *Desert Storm*, aveva seguito Manca prendere alloggio a Torino col suo cappellone Carlo Savio, vicino agli stabilimenti Lancia, troppo lontano dall'Arsenale, troppo tutto, a cominciare dalla padrona di casa, dama con una scala mobile di doppi menti che scendeva giù nelle profondità di due spropositate poppe candide, e bracciali di grasso intorno ai polsi, gelosa (lei diceva orgogliosa) di quei suoi due inquilini. Dedita allo spiritismo, tentava di iniziarli, intrappolandoli a far numero con altri spiritati, nel salottino buio: se ci sei batti un colpo. «Sì, di cannone», diceva Carlo Savio.

Manca era impegnato in un'altra iniziazione.

Carlo Savio alle volte gli cercava compagnia, amiche di sue amiche, una che fa faville e l'altra invece niente che toccava sempre a Manca. Una di queste signorine, la sera che si è presa la tardiva verginità del sottotenente Manca, poco dopo il fatto gli ha detto con solenne accento torinese: «Io non me ne intendo, ne', ma non occorre saper nuotare per riconoscere un pesce: tu sei nato soldato. E se no, ti hanno già ben spianato come pasta sfoglia». E si è drizzata nuda in un cipiglio militare, facendogli il saluto d'ordinanza che lui prima le ha insegnato.

A una licenza premio, quattro giorni, pochi per un viaggio a casa, Manca va sui monti questa volta né mete di marcia né bersagli, ospite del suo cappellone Carlo Savio, sulle Alpi. La ragazza di Savio non voleva che marciare: «Perché io», diceva Milena, «se sono felice m'ingrasso. L'ultima volta che Carlo è venuto in licenza sono ingrassata mezzo chilo al giorno». Dunque sveglia presto e avanti marsc! Quando loro due si appartavano, Manca si guardava intorno, rifletteva a suo agio. E un giorno, guidato dalle tavolette dell'Istituto Geografico Militare, arriva al confine con la Francia, dove un tempo era Regno di Sardegna: mette un piede in Italia e l'altro in Francia, considerando il destino dell'isola natia, che per confine ha solo mare, largo da sfidare ogni fantastica falcata. E pensa che qualcosa vorrà dire anche per lui.

L'ultimo giorno esce con Milena. Savio per una storta era rimasto coi suoi Segantini, con quelle mucche tristi, in una casa piena di suppellettili solenni, librerie, foglie di castagno segnalibro. Era domenica. In un paesino in alto, in piazza, sotto un noce grandioso c'è festa paesana. Milena si annoiava, mentre per lui erano cosa inaspettata i montanari che parlavano in rima travestiti da principi e da re. Lei si aggiustava il trucco, e poi stizzita l'ha tirato via: «Vieni, mio bel cavaliere, portami via di qua». Hanno mangiato sullo spiazzo erboso del sagrato: una croce in ferro su una base in pietra aveva scritto un grazie a Dio della vittoria. Lei era carina, dentro jeans aderenti, e di colpo gli dice: «Be' ma tu sei sempre così?», «Come?». Lei lo fissa, poi da sotto le palpebre: «Così bidone». Cioè? Poi Anselmo capisce: «Sono amico di Carlo», dice. E lei: «Anch'io. Però guarda, guarda come gli uccelli passano i confini cantando, le farfalle danzando…», e ride e corre via, Milena, e lui rimane lì impalato quasi sull'attenti, fedele all'amicizia cappellonica, dietro la scia del suo profumo.

Al ritorno in treno a Torino quella sera Manca tace troppo con l'amico cappellone Savio, che l'ha piantato in desolata solitudine, con l'intero affitto da pagare a una padrona diventata sospettosa. Senza più l'auto del collega, levate troppo mattiniere, in una camera tutta rumori. Quanto passava per la strada passava sul suo letto, auto, cani, nottambuli e ubriachi, tutti a rumoreggiargli sul cuscino.

Ma finalmente era completo, rifinito. Al momento di scegliere la sede del primo servizio non ha avuto un attimo di esitazione: il confine orientale, la Soglia di Gorizia, in faccia al nemico storico che minacciava di sommergerci per primi. Ed ecco fatto. Era il risultato di una dura selezione. Con la licenza natalizia aveva in mano il foglio di presentazione al suo reparto: doveva prendere servizio all'Ottavo Gruppo di Artiglieria di Campagna Semovente Fusavio, di stanza a Spanne, Carso Triestino, alle ore otto del giorno quattro ottobre. Agli ordini!

5

La notte delle bombe americane sopra Baghdad, nel '92, verso l'alba Lampis aveva spento la luce sopra il manoscritto non finito, e ci aveva dormito sopra. La mattina dopo all'università si era infilato deciso in biblioteca. Voleva copia delle seguenti voci dell'Enciclopedia Treccani: *guerra, accademia militare, artiglieria, esercito, grado*. «Subito?», aveva chiesto anche quella volta la bibliotecaria. Subito sì, lui aveva urgenza, e le aveva fatto la grazia di una spiegazione: «L'anno che viene faccio un corso sulla guerra. Siamo in guerra, no?».

«Comandi, professore!».

A lezione si era impegnato a confutare l'idea che la guerra per noi uomini sarebbe naturale, quindi inevitabile, come per gl'insetti, api, formiche, con i loro soldati specialisti nati. Non è vero. Bisogna seminare il dubbio, sugli umani, e forse anche sugli insetti...

C'era la guerra veramente. C'era anche in città. Sopra Trieste stormi di bombardieri verso Oriente. Meno gente in locali, traffico ridotto, tutto più silenzioso. Più divise in giro, di soldati. Una vicina del palazzo gli raccomandava di fare provvista di viveri, almeno un po' d'incetta di fiammiferi e candele. Nel porto, dalla sua finestra si vedeva una nave americana come un grande nido per piccoli elicotteri che si levavano in volo e poi a sera vi tornavano a dormire. E freddo, mare grosso, bora, piovaschi, grigiori e molte crisi di starnuti. Niente sale per giorni nei negozi, ma in un supermercato il professore aveva fatto provvista di caffè, anche di un antico malto d'orzo, e Miscela Leone, che gli aveva ricordato la sua infanzia di guerra bisognosa, mentre il ladro di Baghdad minacciava anche Bruno, l'unico figlio di Silverio Lampis, a cui lui telefonava tutti i giorni, e gli parlava da padre preoccupato del servizio di leva, armato o civile, ma più del servizio civile.

Al Parenzo aveva mangiato più spesso *i gnochi de pan*. Trau lo serviva con una sua affabilità speciale. «C'è uno sforzo antibellico da fare», ripeteva Lampis. «Nessuna diserzione dal presente».

Ma aveva disertato ancora il manoscritto del tenente Manca.

Finché un giorno a lezione si era riveduto sui banchi un militare: Manca, di nuovo in uniforme, ma più magro, forse solo perché quel giorno c'era freddo e neve. C'era la neve in tutta Italia. Perfino a Fraus, nell'isola natia. E la guerra nei cieli dell'Oriente. E lì vicino a Manca, eccola, insieme a lui, sui banchi c'era questa donna bionda, bella, sì, davvero bella.

Dopo la lezione i due si avvicinano, Manca e la bella donna. Lui gli presenta lei: «Mia moglie, Júlia Kiss. Viene dalla Vojvodina».

«Dunque *Manca Anselmoné*», aveva precisato il professore all'ungherese. E lei a bocca aperta, perché in Italia chi sa della Vojvodina, anche se a un paio d'ore d'auto dal confine? Nessuno. Non esiste. E adesso il professore la interpella alla magiara. Lei gli sorride lieta, circonfusa di raggi che piovono da un finestrone, gli fa un'elaborata riverenza, che lui sa come ricambiare con un baciamano, sotto gli occhi commossi del tenente. E se n'erano andati sottobraccio, parlando fitto fitto, la bella donna col marito militare. Prima di sparire lei si era voltata, con un abbozzo di sorriso.

«E come sguarda fuori questa moglie del tenente?», gli aveva chiesto la Florianic, alla fiumana, come per pudore.

«Sguarda fuori bene. Sì, fin troppo bene sguarda fuori quella lì». E il professore si era dilungato in spiegazioni intimidite e reticenti sul tipo di bellezza della moglie del tenente: di quelle con un corpo messo insieme di parti fatte apposta per spingerle su bene in alto in modo indifferente alla statura.

La Florianic poi deciderà che il professore ha incominciato la sua fissa per il Manca giusto da quel giorno: quando ha visto sua moglie. Certo era meglio la moglie che la penna del tenente.

Il tempo era passato a precipizio. I missili Tomahawk avevano finito di punire i cattivi iracheni dopo la ottomila-novecento-cinquanta-treesima incursione contro Baghdad. L'ultimo prigioniero iracheno aveva baciato i piedi del marine catturatore dall'eroico sperma in frigorifero.

E in Jugoslavia il vecchio mondo stava andando in pezzi, a sangue.

6

Lampis era tornato sui Carpazi, dove romeni e magiari nella nuova libertà si maltrattavano coi sassi e coi bastoni, meno micidiali degli jugoslavi lì a due passi impegnati a distinguersi e a dividersi alla svelta tra di loro, armi moderne in pugno.

Da due decenni Lampis faceva su e giù tra Cagliari e Trieste. Cominciava a pesargli. E un giorno a Cagliari a lezione aveva visto ancora Manca, in borghese. Non credeva ai suoi occhi, prima di ricollocarlo nelle sue origini sarde e di capire che lì Manca era in licenza nella sua città, dai suoi. E approfittava per venire a lezione, da lui. Lampis quel giorno si era impegnato molto a spiegare la ricerca sul campo in antropologia, la ricerca etnografica diretta, l'osservazione partecipante, o forse meglio: partecipazione osservante, insomma quel modo di ricerca che vuole comprendere gli altri osservandoli vivere, ma non a volo d'uccello, ma in profondità, non come un gabbiano che plana in alto su possibili prede, magari anche così, ma soprattutto cercando di entrare nella pelle dei nativi, diventando uno di loro, come lui stesso ha cercato a lungo di fare sui Carpazi: e così poi testimoniare di quel modo di vivere, essendo stato là, vivendoci. Ci si era appassionato. E al termine aveva fatto un cenno perentorio al suo studente militare: «Manca, lei qui?», e si era messo a frugare nei meandri della borsa con la testa come dentro fauci spalancate, in cerca del quaderno, che sapeva che c'era, doveva esserci e non c'era, e dice: «Be', Manca, come va, e sua moglie?».

«Insomma...».

«Tempi duri», dice Lampis con la testa nella borsa. «Quel suo manoscritto... be', ne riparliamo».

«Grazie, professore. Però...», anche il tenente si era messo a frugare nella borsa e ne aveva estratto un quaderno uguale all'altro: «Qui ci sarebbe il seguito», dice porgendolo come si fa con cose fragili e importanti: «Ci ho lavorato qualche settimana, e anche qualche notte. C'è anche un piccolo rapporto di una mia breve ricerca sul campo, su in Vojvodina di Serbia. Gliel'ho portato qui. Domani torno a Trieste al mio reparto».

Il professore era rimasto a bocca aperta. Aveva soppesato quel secondo quaderno: «E come sta zia Bonarina?», aveva domandato. Ma voleva dirgli che poteva passare meglio le sue notti, con quel tocco di moglie, su a Trieste, invece di scrivere, di scrivere tanto così.

Era stato anche a Fraus, dai vecchi genitori, nella babele dei parenti. Con suo padre stavolta Silverio era stato paziente ad ascoltare vecchie storie del suo lungo stare sotto le armi, come dice il vecchio, che di guerre ne ha fatte, ne ha perso quasi il conto. E il figlio gli aveva confidato di sentirsi vergognosamente fortunato per non essere vissuto nella prima metà del Novecento, con le sue quattro o cinque guerre a rovinarla. E adesso ci risiamo, non s'impara mai. Il vecchio non aveva mai raccontato certe cose: che in Bosnia, nel Quarantadue, aveva visto cesti d'occhi e d'unghie strappati da bosniaci ad altri bosniaci contrapposti; o che in Croazia, in quel Quarantadue, ha dovuto guidare il camion con sopra il cassone venti partigiani slavi con la corda al collo, legati mani e piedi: dieci metri e tutti a penzolare scalciando da un'antica pergola, grappoli già maturi. E Silverio salendo le scale per andare a letto, una sera nella casa natale, sul pianerottolo si era fermato di colpo, gli occhi su al soffitto, aveva tirato giù con l'arpione la scala retrattile e si era arrampicato in soffitta. Un esplorare stralunato gli fa ritrovare il *Gruppo d'Onore*, com'era detto in casa il grande quadro in bianco e nero antico del *Gruppo d'onore dei Caduti per la Patria e dei Combattenti (MCMXV-MCMXVIII)* della sua Fraus. Era stato sempre nella stanza buona a casa sua. Come in molte altre case a Fraus. Il *Gruppo d'Onore* ha popolato la sua infanzia di poveri guerrieri contadini appesi al muro tutti insieme. C'erano ancora tutti, anche i suoi due nonni, solo un po' sbiaditi, i visi dei soldati della Grande Guerra, dentro ovali bianchi (*i soldatini tondi*, li chiamava Silverio da piccolo), quasi tutti con baffi, e sotto il mento le mostrine e le stellette. Ci sono anche bambini, con mostrine e stellette e senza baffi, le sole immagini rimaste di cresime o di prime comunioni prima di morire baffuti per la patria.

La notte del recupero del *Gruppo d'Onore*, Silverio Lampis aveva sognato cose belliche confuse: coraggio generoso, dove giochi infantili di guerra e intrepidi ardimenti immaginati nell'adolescenza producevano un Silverio su un destriero alla disfida di Barletta, partigiano che caccia via il tedesco, che aggira il giapponese nella Lunga Marcia, con i Viet Cong contro marines sugnosi, col comandante Che Guevara sulla Sierra e altro ancora in guazzabuglio spudoratamente positivo. La mattina dopo era risalito in soffitta, ne aveva riportato giù il *Gruppo d'onore* e lo aveva riappeso nella stanza buona, bene in vista, da dove proprio lui l'aveva tolto, nel Sessantotto, contro il parere dei suoi genitori. E mentre lo appendeva, rimettendo la vita militare nella cornice fredda della storia, il professore aveva ripensato al suo studente militare.

Mesi e mesi dopo, di nuovo a Trieste, finita una giornata senza più occasioni di pensare al suo studente militare, nonostante gli allarmi e gli spaventi per la guerra furente a un tiro di mortaio in Jugoslavia, in Slovenia, in Croazia e in altri Balcani, il professor Silverio Lampis si è trovato i due carabinieri ad aspettarlo sotto casa.

7

E adesso eccolo qui, a tavola al Parenzo per la cena, il solo pasto vero di uno strano giorno, seguito alla stranezza della visita dell'Arma. Non sembra vero, ma è solo l'altra sera che Lampis se l'è vista coi carabinieri.

Programma per stasera: finire di leggere i manoscritti del tenente, da subito, anche qui al Parenzo, mentre Manca fa il bello addormentato all'ospedale.

Tenta di leggere mangiando una jota triestina senza crauti, con occhiali da presbite in punta di naso, e sulla fotocopia giudiziaria del primo manoscritto cerca di stare dietro al sottotenente Manca in viaggio verso Spanne, Carso Triestino, diretto in auto al suo primo servizio.

E prendilo in parola, leggi, non interloquire, non chiosare, lascialo parlare questo Manca, leggi e statti zitto. Così si dice Lampis, con sensi di colpa, anche dopo il sacrificio del suo sangue.

A Redipuglia, prima di Trieste, Manca sosta al

Sacrario Militare, per onorare in raccolto silenzio la memoria di suo nonno, morto a vent'anni sul Carso dove adesso anche lui era diretto. Dio quanti morti, e per tutti un *Presente*. Ed ecco suo nonno che con altri mille e mille si staglia bianco contro un cielo spazzato dalla bora: *Macciò Anselmo Presente!*

Il sottotenente Manca si è irrigidito sull'attenti.

Il sottotenente Manca dorme a Trieste. Si fa svegliare a notte fonda. Allo specchio indossa attento la divisa del suo primo giorno di servizio a cui si è preparato a denti stretti quattro anni e quattro mesi. Guarda dall'alto Trieste ancora calda di sonno risvegliarsi all'alba in un torpore sorridente, il Faro della Vittoria coi suoi larghi avvisi luminosi. Ma i suoi rumori circospetti suscitano una protesta oscena, gridata da una voce femminile, come un malaugurio.

Ha fatto una notte di mare e mille chilometri di guida, per arrivarci dalla sua città autunnale ancora sotto il sole.

Impiega più tempo a cercare Spanne rigirandosi sul Carso che ad attraversare l'intera Val Padana, la mappa sul sedile di fianco al guidatore. Ha deciso che non è dignitoso per un ufficiale in divisa chiedere ai passanti informazioni per raggiungere la sua destinazione. Ma hai voglia di cercarla. Lo trovi solo su una tavoletta dell'Istituto Geografico Militare, se sai che sta quasi sulla linea di confine.

Vaga per ore a ridosso del confine. La terza o quarta volta che riattraversa i sobborghi di Trieste si decide, chiede dov'è Spanne. Spiegoni complicati. Si guarda in giro. Tutto attorno il Carso, il sacro Carso. È un bel mattino. Si stiracchia, fa stretching. Silenzio e vista lunga dal ciglione carsico. E all'improvviso un noto scalpiccio, un fruscio di foglie calpestate sotto il bosco giallo e rosso ancora a tardo autunno, che gli sorge alle spalle come uno stormire, un tonfo cadenzato, che lo raggiunge e regola il ritmo del respiro, del sangue e dei pensieri e glieli fa marciare al passo. Ecco, giovani reclute in esercizio di ordine chiuso, con l'istruttore stranamente silenzioso, marciano con gli occhi fissi innanzi a sé, compresi in quello sforzo lieve che però mette in ogni bocca la sua nuvoletta di vapore. Su quei visi Manca legge un'espressione di quelle che ti fanno pensare a certe scritte come a Redipuglia, o sul basamento di una statua, che inneggiano al dovere, all'onore, alla fedeltà, e all'amor di patria.

Li segue a distanza. E finalmente Spanne! A una vicinanza impressionante, illuminata già dal sole del mattino, fuori da un incantesimo, ecco il profilo di una massiccia, enorme costruzione militare, e al termine di un'impennata impegnativa anche per la sua nuova Centoventisette FIAT, sul muro di cinta a fianco del portale la conferma solenne su una targa: *Ottavo Gruppo Artiglieria Campagna Semovente «Fusavio»*. Il mondo di nuovo nei suoi cardini. E lui a respirare a pieni polmoni l'aria fredda del suo primo giorno. Parcheggia fuori, smonta, prende i suoi documenti, si aggiusta l'uniforme, dispone corpo e spirito a ben figurare davanti all'Ufficiale di Picchetto, che non gli lascia aprire bocca: «Sposti la macchina da lì», gli dice rispondendo sciatto al suo saluto. Informa il sottufficiale su chi è, gli mette sotto il naso le sue carte, quello ci getta uno sguardo seccato: «Vietato parcheggiare all'interno», ripete tignoso in cantilena.

Così il sottotenente Anselmo Manca fa impettito a piedi il suo solenne ingresso inaugurale alla Monte Lamone. Per poi ciondolare intorno al corpo di guardia un paio d'ore, finché l'ufficiale di picchetto che smontava si è deciso a guidarlo al comando del gruppo. Col Comandante c'erano altri tre ufficiali. Manca scatta nei saluti, loro invece brevi e informali. Ha l'impressione che lo stiano annusando distratti come per capire che animale sia. Il colonnello lo guarda in faccia solo per dirgli che ha l'obbligo di risiedere in caserma: «E per gli ufficiali la mensa al mattino è obbligatoria», aggiunge distratto. Manca gli chiede come provvedere a portare in caserma i bauli in deposito alla stazione di Trieste. Il Tenente Colonnello Patania lo guarda in faccia per la seconda volta, duro. Agli ordini!, conclude Manca che saprà più tardi che non aveva superato neanche il primo grado del rito di iniziazione al reparto, che consiste nel cavarsela con il bagaglio senza l'aiuto di nessuno, gli spiega uno sciatto artigliere di leva che l'accompagna al suo alloggio.

Ed ecco la sua stanza, la sua piccola stanza disadorna di fortezza: letto antico di ferro con un materasso sottile come una frittella, mortificato dall'uso; buchi alle pareti, intonaco sui muri tutto a chiazze che sembrano figure di una brutta storia senza senso. Per finestra una sola feritoia, come una palpebra socchiusa. Storcendosi a guardare fuori vede un muro rotto e più lontano un vecchio campanile: scoprirà più tardi che quel campanile è già straniero, all'estero, in campo avverso. E che di bello in quella stanza c'era solo che l'alba gli cresceva di fronte, di là dal finestrino a feritoia. Vi poteva fare la lettura mattutina delle sorti del nuovo giorno. Ha voluto pensare a una sistemazione provvisoria, a lavori imminenti di restauro. Sull'unico tavolinetto si ingegna a sistemare la foto incorniciata di sua madre, mentre il militare di truppa che lo accompagna coi bagagli fa una strana smorfia. Lo congeda in fretta, e scappa fuori appena può, come a sfuggire a un presentimento di fatalità.

Fuori si guarda attorno. Ma decide subito confuso di non voler vedere. Perché non doveva essere così. E forse non lo era. Ma tutto, dentro quell'edificio incartapecorito, vecchio di troppi decenni, tutto denunciava l'assenza di un progetto, di uno scopo: a parte le cucine, i bagni e le camerate nelle casermette della truppa, tutte più o meno maleodoranti delle loro specifiche funzioni.

8

La prima notte sotto le coperte Manca è come un topo sotto la scopa dello sguattero. L'abbaiare dei cani in lontananza, forse oltre confine, sono grida di minaccia. Tira le prime somme. La *Situazione Graduale e Numerica della Forza Disponibile* non è aggiornata da chissà quando. A una voce quadrupedi risulta un mulo, mai visto.

Seduto sul bordo del letto, come una spugna fradicia di malinconia, Manca è solo nella notte come nemmeno da bambino, quando d'inverno nel suo angolo del sonno pensava lungamente a un cavaliere antico che cavalca nel buio col messaggio del re nel giustacuore.

Il giorno dopo le chiazze sui muri e sul soffitto sono leoni e coccodrilli, tigri, serpenti e pipistrelli. Un solo movimento avrebbe sfatto il mondo. Buona è solo la luce sul soffitto. E l'alba dalla feritoia.

È stata una febbre di sei giorni. Solo al terzo giorno il barista del Circolo Ufficiali, uno della sua città, un certo Martis, Enis, Pistis... se lo dovrebbe ricordare il nome del suo salvatore, che gli portava ogni tanto un panino, una pasta, la camomilla calda, e un giorno il volumone di Gargantua e Pantagruele, «per tirarsi su e passare il tempo», dice timido il suo compatriota, che dovrebbe essere un Pistis: in greco antico *pistis* vuol dire fedeltà. «Che mi succede?», gli chiede Manca in un momento di lucidità. Pistis tergiversa, ma quando è stato certo che il peggio era passato, gli ha spiegato a suo modo che Manca non esisteva ancora in forza effettiva alla Monte Lamone, sul confine orientale sulla Soglia di Gorizia, che insomma era una specie di disperso, o meglio non era ancora entrato, non esisteva ancora nei meandri della burocrazia militare della guerra fredda. Sfebbrato, sulle pareti della stanza e nel soffitto Manca vede ancora Rabelais ricostruire le mura di Parigi con sessi di donna. Lasciato il letto ridotto veramente a una frittella, stretta la cinghia di due buchi e i denti stretti come sempre, conosce gli altri capi, con attenzione ansiosa. L'*Aiutante Maggiore del Gruppo*, troppo pesante per le sue gambette, sempre alla ricerca del modo migliore per scontentare tutti quanti. L'*Ufficiale alle Informazioni del Gruppo*, detto Frenesia, per quel suo modo di fremere come un cavallo infastidito dalle mosche. Il *Capo Ufficio Logistico*, ossessionato dalla logica e dall'ordine, perciò detto Cartesio e in cento nuovi modi perché il poco che diceva con modi da oracolo scocciato gli restava addosso come parte del suo nome. Il *Capo Centro Tiro*, testa leonina, sempre a pancia in fuori, la cui struttura fisica era già una Caporetto, occhialino antiquato che gli ballonzolava sullo stomaco, si divertiva ad alternare silenzi assassini con urla da sergente prussiano, a recitare l'ira nei modi più grandiosi giusto quando meno te l'aspettavi, per vederti scat-ta-re! Anche se per lui tutto in fondo al massimo era sport, da vero aristocratico.

Manca racconta a lungo e minuzioso come sfoggiava energia per scuotere gli apatici e gli scettici. Specialista dei regolamenti consultato a volte anche dal Tenente Colonnello Comandante dell'Ottavo Gruppo, non c'era angolo che non frugasse, problema di cui non s'interessasse, difetto che non volesse raddrizzare, bene che non volesse migliorare. I soldati capiscono impauriti che per il sottotenente Manca i regolamenti valgono alla lettera. E il Capo Ufficio Logistico, Cartesio il Taciturno, gli ha detto la frase più lunga della sua vita: «Manca, dove si è trattenuto negli ultimi due secoli?». Ce n'ha messo a capire che gli stava dicendo che era nato postumo. Manca però ha capito il Capitano Aniello Mascolo, il giorno che gli ha detto in sano cameratismo mascolino: «Manca, *sfrocoliatènne*! Tu devi diventare uno dei nostri».

Manca era impegnato a non diventare uno di loro. Gente che al massimo di consapevolezza si sentiva presa da un senso di esilio e punizione. Manca invece era deciso a non rinunciare al suo ideale di meticolosa precisione. Ma nessuno lo aveva preparato a questa parte della vita.

9

«La caserma Monte Lamone non era all'altezza del prode Anselmo», borbotta adesso Lampis al suo tavolo al Parenzo. Accorre il cameriere Trau. Ma spinto avanti da un inizio di curiosità, Lampis è di nuovo col tenente Manca, a Spanne, dove il Capitano Mascolo lo prende sotto braccio e gli spiega che nell'esercito, come nel resto della vita, bisogna stare al passo, marciare come gli altri: chi non tiene il passo, va avanti, resta indietro o scarta ai margini, è perduto. Ma che fa un soldato in riga quando ha l'impressione che nei ranghi si sforza solo lui di andare al passo? Gli ci volevano alleanze, ma era sorvegliato, non aiutato. E il Capitano Mascolo gli mette in chiaro certi modi perplessi di guardarlo: «Manca, ma tu ci sei o ci fai?».

Almeno all'accademia, se c'era rivalità, c'era pure emulazione positiva. Qui invece Manca è una rondine lasciata sola dai suoi simili migrati. Un giorno torneranno, si ripete ogni giorno alzandosi e ogni notte a letto, saldo nella speranza, come un brutto anatroccolo che sa che il suo destino è d'incontrare un giorno la sua stirpe, i suoi compagni giusti, e belli.

Era Capo Calotta, lo scapolo più anziano, tra vecchi marpioni di complemento che al massimo sapevano darti consigli stantii sulle donne friulane e schiavone, e sfoggiavano i loro difetti con naturalezza. Tutti abitavano a Trieste, per Manca vaga città lontana di delizie. E come unico scapolo era l'unico a risiedere in caserma, dunque di fatto responsabile di una miriade di esigenze logistiche, in una caserma asburgica da settant'anni senza manutenzione, in preda alle gelate e alle bore del Carso.

Gli altri ufficiali alle cinque del pomeriggio si squagliavano, di colpo. La loro vita vera era di fuori. Per Manca era dentro quelle mura. Il suo mondo esterno, con i nemici da tenere a bada, era quello che si poteva vedere dagli spalti e dalle feritoie della Monte Lamone. Era vice comandante della Quarta Batteria, ma praticamente comandante, dato che il comandante Capitano Aniello Mascolo era il più imboscato dell'esercito italiano. A Manca era simpatico, a parte la sua voglia inestinguibile d'intrallazzo. Il Comandante del Gruppo li aveva in antipatia tutti e due, e questo era un legame tra di loro. E quante volte Manca firma carte delicate col suo proprio nome e con la sigla A.P.S., *Assente Per Servizio*. Anche sui libretti di manutenzione delle armi, anche dei Mezzi Corazzati. Così dava il suo nome a molte magagne, su quei fogli. Era il solo accasermato a tempo indefinito. Girava per i luoghi col suo mazzo di chiavi tintinnanti: «Come una madre badessa», diceva il Capitano Mascolo. «In caserma chi fa gli cade tutto addosso», diceva scoraggiato il Comandante del Gruppo pro tempore Tenente Colonnello Patania Paolo, detto Pipì, che nel corso dell'anno doveva cedere il comando al Tenente Colonnello Petrarca Patrizio, ridetto Pipì.

Manca si meraviglia persino di quanto abbonda l'eterno *Viva la Figa* nei gabinetti della truppa. Non sorride nemmeno al commento solenne di altra mano: *Giova sempre ribadire concetti già noti*. Ma quasi sviene il giorno che nel *Locale Docce Signori Ufficiali* compare la scritta: *Manca rognoso*, che col tempo ha aggiunte di altre mani: *palloso, montato, meschino, cretino…*

Manca fumava molto, troppo, sempre di più. E poi crisi d'insonnia. Quante decisioni ha preso e abbandonato nell'insonnia, fumando anche di notte. «L'insonnia è un'illusione da sfaticati», taglia corto Pipì quando il tenente Manca accenna a questo guaio, tacendo che era suo.

Nessuno ce l'aveva con Manca. Era lui ad avercela con gli altri.

«Con chi non s'è mai messo in testa l'elmo di Scipio», commenta Lampis a voce alta, e allarma Trau che bada lì vicino a due turisti nordici intignati sul conto da pagare.

10

Lampis al tavolo al Parenzo fa evidenziazioni
doppie e triple e note a margine, sforzandosi di
prendere sul serio ogni parola di quel manoscritto che potrebbe far capire anche a lui com'è che
il suo autore adesso giace in coma all'ospedale. Cerca anche di mangiare un'insalata di mare affumi-
cata, mentre continua a scorrere le pagine di Manca, resistendo all'impulso di andare via di corsa e
di traverso.

E così col tenente torna a Spanne, dove il nuovo
comandante, il ridetto Pipì, dopo quarantacinque
anni di pace, con bellicosa senilità immaginava un
riscatto glorioso in surrogati di campo di battaglia.
Perché anche lui aveva in testa un qualche tipo
di pennacchio o di cimiero, un *elmo di scipio*, più
o meno come Manca. E organizzava uscite con i
mezzi corazzati, di Batteria, di tutto il Gruppo,
almeno una volta la settimana. Con qualunque tempo. Anzi proprio in C.M.A. (*Condizioni Meteorologiche Avverse*). Manca non chiedeva di meglio che

darsi da fare, anche in C.M.A., se il Comandante aveva una predilezione per il brutto tempo, o se al brutto tempo piaceva il Comandante, diceva il Capitano Mascolo.

E finalmente una mattina all'alba vanno a sparare dal greto del Tagliamento verso il monte Ciaurlec. La sua Batteria risulta una macchina perfetta, tesa a un fine noto: scegliere il bersaglio, puntare, colpire! Automatismo prevedibile ed esatto, puntare a un obiettivo, termine balistico per ogni azione umana. L'ufficiale osservatore constata che i colpi più legati e precisi in zona d'arrivo sono quelli della sua Batteria. Bel colpo, grida ogni volta.

E finalmente adesso lì al Parenzo anche sul tavolo di Lampis planano atterrando i suoi *gnochi de pan* con un Buon appetito! del cameriere Trau. Lampis ci si dedica un po', con appetito. Ma gli occhi gli tornano ben presto sul quaderno del tenente, a Spanne, dove Manca aveva a cuore soprattutto una cosa: la polveriera, con i silos missili, sognandosi al poligono di Quirra in Sardegna. Si teneva aggiornato sulla propulsione e sulla cibernetica missilistica. Manca sa che quella è la sezione missili meglio tenuta del Norditalia. Il tempo passato a mantenerla in ordine era il suo solo tempo libero, perché lo faceva volentieri. E c'è da credergli se Manca scrive di essere il militare italiano che conosceva meglio i missili cinesi Silkworm, i bachi da seta volanti terra-terra, terra-aria, aria-aria e così via. E proprio lì, dove anche Lampis finalmente trova interesse alla scrittura del tenente e alla sua polveriera, lui invece lì si ferma e scrive che di più non può, non deve dire: punto NATO sensibile. C'entrano gli americani, che delle loro testate nucleari, nascoste chissà dove in questi luoghi, sono molto gelosi. Più delle loro donne.

Ma ecco che a Spanne arriva il cappellone Carlo Savio. Lui, Savio, nella sede più dura, avamposto del bene contro il male? Condividerò con lui certe mansioni, pensa il buon soldato. E invece Savio scansa tutto come un giocoliere. Due mesi dopo ha casa a Monfalcone, sposato con Milena, quella di certe vecchie gite in Alpe.
Con che diritto? «Col diritto che vale in artiglieria», scherza Savio nei modi di caserma, «il diritto *cannonico*».
Gli dicevano: «È un bel risparmio vivere in caserma». Ma non gli risparmiavano la solita freddura: «Se Manca manca qui come si fa?».

Tutto fu peggio, taglia corto Manca. Ma del sottotenente Carlo Savio nessuno scansafatiche di complemento ha detto mai, come di Manca, che dormiva di notte sull'attenti, mani alle cuciture delle gambe del pigiama. Savio non restava infilzato sui corni di un dilemma di Pascal, come Manca che in quei giorni trovava anche il tempo per leggerne i *Pensieri*: se esistono in fondo due sole specie di persone, i giusti che si credono peccatori e i peccatori che si credono giusti, lui, Manca, da che parte stava?

«Perché farsi inquadrare da Pascal, se a questo già provvede il colonnello?», brontola Lampis al suo tavolo. E allarma ancora Trau, che se lo guarda leggere facendo macchie sulle pagine, dove la Florianic dirà poi di aver dedotto il menù intero di quel pasto. Anche l'amaro digestivo, bevuto con Trau alla salute del tenente in coma all'ospedale, poverino, ma in altri tempi *l'ufficiale più fidato nel pattugliamento del confine patrio sulla Soglia di Gorizia*. Parola di Manca.

L'ultima pagina, gli zingari che vanno di traverso, Lampis l'ha letta ieri e la rilegge adesso. La legge anche a Trau, quando è già alla frutta, la solita mela. E le solite chiacchiere. Stasera, a spizzichi e confuso, il discorso devia su traffici illegali e contrabbando, su confini passati senza carte, armi trafugate, militari felloni, zingari spalloni e buche carsiche.

Trau se ne intende, per anni ha lavorato al bar-self-service dentro l'Autoporto di Fernetti, sul confine. Lì non passa giorno che le cose più illecite si scoprano nei camion, camuffate con trucchi fantasiosi. Ma uno zingaro, che fai mai con uno zingaro in dogana? Perquisisci gli stracci?

Il professore se ne torna a casa.

Latte, letto e lettura. E matita all'orecchio per annotazioni. Il giorno d'oggi non può finire senza avere finito i due manoscritti.

Tocca al secondo quaderno, solo annusato, quando era in Sardegna. Qui la scrittura è anche più compatta, come di chi ha fretta, ma rimane al passo. Il professore corre avanti rapido sui fogli, taglia di traverso, si pente e torna indietro, braccando un po' di senso. Ma non trascura nulla.

Júlia

I

Proprio lui, custode dei confini, un giorno ha
sconfinato. Sì, Manca ha varcato la Soglia di
Gorizia. Con una sua colpevole emozione. Ma il
cuore in una nuova intensità dell'esistenza. Era
la prova dell'eroe per meritare la sua bella, di là
dal fiume e il monte, Oltrecortina, in terra aliena, in retrovie nemiche.

«Brave ragazze», aveva detto Savio, «robuste, sin-
cere, seno, sane come pesci, vengono dall'altra parte, da laggiù».

«Belle schiavone», precisa il capitano Mascolo.

C'erano stati i tiri al monte Ciaurlec. Poi tutti a
festeggiare, giù in città: «Mettiamo a segno l'ultimo colpo», aveva detto il capitano Mascolo,
sposato con due figlie, e la maggiore il giorno
avanti aveva avuto il primo sangue inaspettato tra
le cosce, con l'orgoglio del padre che ne ha dato
annuncio, alla sannita, e ha ceduto il suo posto proprio a Manca, per una delle due belle schiavone
giù in città. Manca però nicchiava, lui aveva altro

da fare: «Sei un perfezionista», lo sgridava Savio, «per guardarti allo specchio la mattina e riconoscerti migliore di noi altri».

Manca voleva dirgli che quella che per Savio era una perfezione impraticabile, per lui era la norma. Ma ha ceduto. Ha fatto il primo torto al suo carabiniere incorporato in fascia azzurra.

Ma è da lì che forse è nato tutto. Da una donna, al solito. Dalla brezza leggera la tempesta. Ma intanto era la brezza, era il vento in poppa. Le ragazze le aveva trovate Carlo Savio, manco a dirlo, sebbene già sposato, con la Milena delle gite in Alpe, adesso sua moglie a Monfalcone. «Prede di guerra», scherza Savio: sì, gocce della marea slavo-comunista contro cui fa da baluardo l'Ottavo Gruppo Semovente Fusavio. Savio condiva l'avventura con il pepe della guerra fredda, già sul piano inclinato della fine, cosa ignota perfino ai profeti, figurarsi ai guerrieri.

Vanno al caffè elegante, poi al ristorante. Così si usa, perché le donne, pare, devono rifocillarsi, prima. Comunque, donne non difficili. Quella di Manca, inaspettata bionda in raso nero, è fin troppo bella, tanto più bella di quell'altra, e tocca a lui, stavolta. Perché?

Si chiamava Júlia, Juci per gli amici, pronunciando *Juzi*: «La u piccolina, molto breve», gli ha detto lei con un accento sconosciuto e con lo sguardo grigioverde: «Sono ungherese di Vojvodina». E Júlia quella sera, prima con sollievo, poi con trasporto trova in Manca il primo italiano che sa della Vojvodina, con precisione di confini danubiani.

«Oh, guarda che robustezza!», ripeteva Savio, mostrando Manca ma solleticando al collo le ragazze: «Guarda che forza in queste braccia! E che forza i suoi tiri, stamattina, mai visti più legati e più precisi... E bevi un altro whisky, Manca, uno non basta e tre sono di troppo, come le tette delle donne».

Júlia guardava Manca e ci vedeva altro che la forza. Così bella, troppo, da stare male. Lui era impacciato: «Come un anacoreta tra le cortigiane di Alessandria», rideva Carlo Savio, sicuro di non essere capito dalle belle schiavone, che schiavone non erano, ma non capivano lo stesso certe cose.

Finiscono in discoteca in doppia coppia. Il dj è un amico di Savio, un nano in gran sudore che col capo arriva alle mammelle iridescenti della sua assistente ondeggiante e seminuda. Anche un artigliere, abituato al cannone nelle orecchie, è sopraffatto dai rumori in discoteca. Non è cosa per

Manca questo chiasso, il fascino malsano del frastuono sistematico, lo sballo. Manca però apprezza la quieta indifferenza della folla di avventori mentre si violenta udito e vista: «Qui ti convinci che la calma devi averla dentro, non te la dà l'ambiente esterno», dice Manca a Júlia con virile dignità, dopo il secondo whisky, in una pausa enorme e subitanea che gli ha dato il capogiro, come se davanti gli si fosse aperto un abisso di silenzio, mentre la technomusic gli premeva ancora sulle orecchie e con negli occhi ancora il gran caleidoscopio delle luci strobo.

In una pausa Júlia lo informa in confidenza che a Trieste ha avuto la fortuna d'incontrare il tenente Carlo Savio... ma già ricomincia la frenesia di suoni e luci. Nel buio accecato da quei lampi Júlia gentile e risoluta s'impossessa di una mano del tenente Manca, e non per saggiarne la forza. Si sente accelerare il ritmo del cuore, e se invece di fissare il suo bicchiere Júlia avesse guardato la faccia del suo cavaliere, l'avrebbe vista impallidire. Si alza, Júlia, e facendosi strada nella ressa lo porta nella fossa dei leoni, si fa tutta accaldata, con un'aria felice, molto più bella delle altre donne intorno, al suo confronto sciatte o spente o troppo impegnate nel menare il corpo. Tra i lampi strobo sente il lampo di quegli occhi, tra l'oro dei capelli, denso come miele.

«Non sai fare complimenti a una donna?», grida Júlia felice nel frastuono. «Non ti sono simpatica?».

Manca ci ha messo troppo a fare un sì convinto con la testa, nel fracasso.

«Certe volte qui mi sento troppo sola», lo ha informato Júlia nella pausa successiva, al loro tavolo, mentre al tavolo vicino la sua amica con Savio scagliava via le scarpe sotto il tavolo, per ristorarsi i piedi dai tacchi alti, e lì si ubriaca, balla in sottoveste e canta canzonette sconce in varie lingue danubiane. E Júlia invece che si sente sola. Avrebbe potuto dirle che certe volte invece lui si trovava in eccessive compagnie. Ma aveva altro da fare con Júlia, sebbene qualcosa sempre li fermasse. Fino alla conclusione, qualche ora dopo, sprecate dal tenente tutte le manovre poco esperte, mentre il collega Savio aveva già travolto le difese dell'amica, che si era anche permessa di dire a Júlia andando via con Savio: «Chissà cosa sa fare il tuo fortissimo soldato».

Manca non fa molto. Però impara. Stavolta impara tra l'altro, e lo mette per iscritto e ci ragiona su, che le donne non apprezzano la forza più di tanto, anzi la compatiscono, mentre un soldato deve averne il culto. In caserma la sera solo nel suo letto decide anche perché gli era toccata Júlia: Savio gli aveva lasciato la bella inespugnabile. Ma non ne era sicuro. Tanto meno ne è sicuro adesso il professore che lo legge.

2

Manca torna a fare tutto lui alla Monte Lamone, alla sua polveriera e nei pattugliamenti del confine più caldo del Mediterraneo nordoccidentale: rabbia e caparbietà lo puntellavano.

Una vita così ha bisogno di puntelli, brontola Lampis.

Escluso dai pettegolezzi di caserma, spesso ne è l'oggetto. Un giorno Carlo Savio, benché Milena lo tenesse a briglia corta, se lo riporta a Trieste. E di nuovo Júlia, bionda e bianca, il bel collo, i boccoli, il fascino slavo o quel che era, Júlia tutta intera.

«Da quanto tempo!», dice Manca.

«Tre mesi e venti giorni», dice Júlia, calma.

Di quella sera Manca non scrive molto. Cose sue. E poi ricorda amplificato, dunque male, tra l'altro che Júlia gli ha parlato ancora della fortuna di avere incontrato a Trieste Carlo Savio, e per la prima volta Manca ha sentito il morso della gelosia.

Sfidando la proverbiale sordità musicale degli artiglieri, vanno a un concerto dove Manca scopre come la musica veste il cuore e porta via le scorie dallo spirito. Era *L'histoire du soldat* di Stravinskij. Come il sottotenente Stendhal la sera prima di Marengo, nella penombra il sottotenente Manca scopre un se stesso sconosciuto. Capisce l'ironia di trombe e di tamburi, della sollecitudine precisa con cui il timpanista tacita il rimbombo con le mani. *De te fabula narratur,* si diceva Manca. Ma il diavolo, il suo diavolo, chi era? Dopo il concerto Júlia incoraggia le manovre del tenente.

«Avevo un desiderio inestinguibile di te», gli dice infine concedendosi ai suoi baci, raccolta a occhi chiusi a consultarsi i più profondi sentimenti.

Ma il suo per lei era estinguibile, pensa il tenente risalendo a Spanne, al suo dovere inestinguibile. E non sapeva quanto s'ingannava.

La sera dopo Manca tutto solo se la ritrova ad aspettarlo, Júlia che gli ha fatto giurare amore eterno, la rivede fuori dal portone di caserma, vicino a un lampione come Lili Marleen.

Sostano e gironzolano per il Carso. Il sole del tramonto fonde le loro ombre in una sola.

«Perché hai lasciato la tua patria?», chiede lui.
Júlia abbassa gli occhi. Forse sta per rispondergli.
Ma sospira soltanto.
Faceva l'infermiera in una clinica a Fernetti. Era
iscritta a Trieste in medicina.
«Anch'io, però in filosofia».
Lei lo guarda intensa: «Perché?».
«Per capire. Anche se c'è un professore delle mie
parti che ripete sempre che ogni vera conoscenza ci rivela altre ignoranze».
Júlia aveva fatto due anni in medicina a Novi Sad,
Vojvodina, Repubblica di Serbia, Jugoslavia. Parlava bene l'italiano. A parte qualche volta, e lui
non riusciva a non correggerla, come quando ha
detto una frase sghemba circa la rispettiva posizione delle membra nell'angusto vano posteriore
della macchina, lui l'ha corretta e raggelata, e ha
peggiorato nel correre ai ripari, mentre lei piangeva dagli occhioni grigioverdi.
Ma un rapporto c'era. Lei lo teneva vivo. Finché
una sera sono stati soli in una stanza, con un letto, e lei gli ha fatto capire imbarazzata di non dirle frasi da corteggiatore da strapazzo. Lui si mor-
de la lingua, ma Júlia ha un'incertezza così tene-
ra, e una fiducia così aperta che Manca è nelle regole quando le giura amore eterno, dopo che lei gli

ha detto: «Dimmi che mi ami e mi amerai per sempre, giuralo!», ed entra in lei che mormora invocando *Jesus Maria Josef!*

3

Marciando si aggiusta la soma, dicevano i vecchi artiglieri di montagna con i muli. Al prode Anselmo la soma non riusciva ad assestarsi mai. Se non con Júlia. Lui se la sognava la sua Júlia, anche da sveglio, a occhi bene aperti nei tetri corridoi della fortezza.

Ma dove lo trovava il tempo per dormire, per poter sognare? Con quelle notti a far quadrare i conti dell'MM (Minuto Mantenimento), della RC (Ristrutturazione delle Casermette), del CF (Circolo Ufficiali) e della MU (Mensa Unificata): in uno spreco di maiuscole, timbri, registri, inventari di razioni pesate al grammo e al centilitro, al circolo ufficiali dosi di superalcolici, di alcolici, lattine e bottigliette di succhi e di analcolici, e poi merendine, noccioline, bruscolini, biscottini...

Gli occhi di Júlia sì lo rimettevano un po' in sesto, dopo una notte e la giornata successiva di servizio armato, magari senza cena ma in libera uscita, finalmente, lui che alle sue reclute insegnava che l'amor di patria, quello che si esalta alle pareti della Monte Lamone, incomincia a tavola, e aveva in corso la campagna contro gli sprechi a tavola, dove i resti a volte risultano due terzi della spesa.

Manca, gestore della Mensa Unificata, spesso correva da lei digiuno dal mattino, in tutto quello spreco spesso a cena non restava per lui una minestra calda. Come una certa sera, mentre colleghi sazi si scambiano facezie, e l'artigliere di servizio a tavola gli fa spallucce, allarga mani e braccia: «Niente più!». Gli pare che qualcuno, al tavolo degli ufficiali, rida sotto i baffi, con il fumo dal naso. E arriva preoccupato il sergente Parisi, che sotto il suo, di naso, sfoglia carte che Manca deve controllare, poi controfirmare, come sempre. «Senti, sergente, mettiti nei miei panni, secondo te io l'ho scelta per questo la carriera militare?», sente se stesso dire alla faccia incredula del sergente Parisi che si torce in gesti d'imbarazzo.

Manca posa il tovagliolo inutile sulle fatture e i buoni d'ordine, si leva calmo e se ne va senza fiatare, nella migliore esibizione della impassibilità militare.

No, nessuno si era mai messo nei suoi panni, in quei panni che Manca quella sera ha messo alla rinfusa dentro un paio di valigie e se n'è andato a lavarsi, a mangiare e a dormire in un albergo di Villa Opicina. E nel nuovo squallore dell'albergo, un accesso di febbre svela a Manca definitivamente ciò che non aveva ancora capito ai suoi normali trentasei gradi e mezzo: il suo amore per Júlia, il sorriso di Júlia che spadroneggia nel suo petto.

Non hanno potuto negargli l'autorizzazione a non risiedere in caserma, nei limiti territoriali del presidio, con l'aria di concedergli per grazia un suo diritto. E il giorno dopo, quando l'ha rivista, Júlia gli è venuta incontro come uscendo dalle emozioni di tutta la sua vita. Sì, era innamorato anche a temperatura normale.

E alla faccia dei commilitoni che lo incoraggiavano a tornare al suo stanzino con la feritoia sul Carso oltreconfine, lui se n'è andato a vivere con Júlia, in un appartamento di due stanze con servizi, dove lei prima stava con l'amica sua compatriota, che gli ha ceduto il campo: «Perché le donne sanno fare cose straordinarie nel nome dell'amore, generose come pellicani», gli ha spiegato Savio.

4

E la porta a Venezia, la sua Júlia. Spensierati. In gondola, sui ponti e nelle calli Júlia gli dice e gli fa dire cose irreparabili: «Quando non sei con me, io non esisto più». E poi ancora, a testa china, con la mano sull'onda: «Riesco a essere solo quello che tu pensi che sono». E il timbro raro della sua voce con quel po' di accento esotico alle orecchie del tenente aggiungeva un valore tutto nuovo a queste cose che da sole già bastavano a stregarlo. In gondola, in bilico su quella barca paraninfa, quando lei chiede del matrimonio di Venezia con il mare, Manca le spiega che Venezia doveva tutto alla laguna, troppo profonda per essere passata a guado da un esercito, poco profonda per navi da guerra.

«Tu mai dimentichi che sei soldato», sospira Júlia, ma gli dà corda come cicerone puntiglioso. All'Arsenale, siccome Anselmo le mostra i segni della potenza militare di San Marco, Júlia si domanda se la Serenissima sarebbe stata tale senza il grande retroterra slavo.

«Giuliano e dalmata, semmai», sbotta il tenente Manca, toccato nel suo patriottismo di custode dei confini, anche persi o irredenti.

«Prego, non ti arrabbiare. Io sono magiara, non slava, anche se jugoslava, e al mio paese a scuola insegnano che Marco Polo era uno slavo, che si chiamava Polic all'origine».

Ma quel giorno, tornando al matrimonio di Venezia con il mare, Júlia accenna al matrimonio tra di loro. Il tenente ha la rivelazione che qualcosa di grande sta per accadere. E si affida a come l'istinto e la ragione femminile di Júlia stanno già da tempo guidando la sua sprovvedutezza.

Infine, amore eterno in giuramento, con gli anellini di fidanzamento e relativo bacio, pensieri puri e serenissime speranze. E sposarsi presto, magari a Venezia ai Frari in primavera, con la marcia nuziale del Lohengrin.

Perché Júlia *doveva* sposarsi: non perché il matrimonio fosse l'ago che rammenda l'onore, ma per la guerra fredda, il mondo bipartito, frontiere e diffidenze. Chi sposa un italiano diventa italiana, e da italiana Júlia non doveva rientrare al suo paese, scaduto ogni permesso, da una parte e dall'altra del confine. E la burocrazia, di là in Vojvodina di Serbia, la reclamava indietro, poliziesca. Non c'era da scherzare. Il Muro di Berlino stava su tenace, allora, così pareva. E lei voleva restare, lui la voleva far restare, loro volevano restare, insieme, appassionatamente. E il modo più rapido per sposarsi è la dispensa ecclesiastica, tipo Renzo e Lucia da don Abbondio, anche senza testimoni raccattati. È Júlia che ha scoperto che c'è ancora questa forma di matrimonio nel diritto canonico apostolico romano, e quindi anche italiano, grazie ai concordati.

Anche Manca *doveva* sposarsi. Troppe voci in caserma su quella convivenza triestina, quasi una connivenza col nemico: scandalosa, più del fratello medico con la sua sovversiva gioventù sessantottina. Ma la riprovazione altrui lo univa meglio a Júlia. Il Tenente Colonnello Comandante un giorno lo ha chiamato a rapporto: «Tenente Manca, facciamola finita!».

«Allora me la sposo», dice Manca. Ma il colonnello don Rodrigo il matrimonio lo proibiva anche di più, ignaro della forza dell'amore, della tenacia della bella Júlia, altro che un colonnello della nostra artiglieria. Più passava il tempo e più bastava a Manca per schiantarlo un solo sguardo di quegli occhi, e un colpo della gonna sui ginocchi gli afflosciava l'anima come carta di giornale.

Ma i documenti di Júlia, ecclesiastici, che da soli bastavano, si doveva andare a prenderli di là, in Jugoslavia, Serbia, Vojvodina, Radót, che si pronuncia *Rádoot*, attenzione. Attenzione e cautela, nel fare e nel dire. Júlia poteva non tornare, trattenuta di là. C'è andato lui: un ufficiale dell'esercito italiano passa la Soglia di Gorizia che di solito pattuglia. Mai osato tanto ai limiti del lecito. Ma osava per amore. Con saggezza del limite ha compiuto una missione oltre le linee, in retrovie nemiche. E un rito di passaggio.

5

Senza le insegne della sua prodezza, in panni civili,
alla prima licenza sostanziosa Anselmo forza il limite, in treno per passare inosservato, ma se scoperto
pronto a rivelare solo nome, grado e numero di
matricola. E attraverso Slovenia e Croazia, aperto a
ogni stupore, sorpreso di non essere spaesato, nessuna
angoscia da sconfinamento, il buon soldato arriva a
Radót, villaggio sperduto nella pianura pannonica percorsa in ogni tempo da eserciti di popoli inquieti.
Radót, odori di stalla e di camino a legna, centoventicinque case, calma di altri tempi. Manca ci passa dieci giorni, con la sveglia dei galli, respirando
sano, fino ad avere i documenti dalla curia di Subotica, ottenuti giurando questo e quello: fede burocratica, amore burocratico, ma se ci vuole, sia.
Giorni rallentati, mangiate contadine. Per ore nel
villaggio e tutto intorno si sente al massimo ronzio
d'insetti. Questa sì ch'è licenza, un placido imboscarsi. Dunque non sono io che non mi adatto,
medita il tenente una mattina sotto un grande melo

come Newton. Dove si sta bene, anch'io sto bene. Ma era un pensiero troppo nuovo, da tenere a bada. Tutti sono abituati a una babele plurilingue, a Radót, nella puszta magiara in piena Serbia, terra grassa e nera. Molti spiccicano un poco d'italiano. E il parroco lo accoglie come un emissario del papa, o anche da più in alto: «Sì, spesso lo straniero cela un angelo».

Manca per Radót era eccezionale, un angelo del paradiso occidentale. Festosi ragazzini lo seguivano per strada: «Amico, tu regala», gli dicevano, ma erano loro che gli regalavano le feste e le risate. Più discrete spiavano le donne alle finestre, e saluti cordiali dagli uomini. Il prete all'organo di chiesa per lui solo suona e canta in italiano: *Dal tuo stellato soglio* del Mosè di Rossini, con un'enorme voce da baritono, e poi:

Il povero soldato
fu condannato a morte,
lontan dalla consorte
vicino al colonnel...

Manca, già sospettoso di che cosa sa un parroco pannonico sul fidanzato di una sua pecorella, ha un brivido di malaugurio. Ma passeggero.

E i suoi futuri suoceri? Manca li temeva, prima di conoscerli, i vecchi che lui stava per privare dell'unica figlia. Lei è magra, una donnina asciutta e riverente, ma golosa, *Klàri néni*, sempre a sbocconcellare certi fichi secchi fatti in casa, buoni, tutti gli altri al confronto perdono la fama. Un'arte residuale era anche quella di zio Laci, da vecchio recidivo. A *Laci bàci* le mani odoravano di colla di pesce e di olio di lino, e forse andava anche a dormire con la matitona da ebanista infilata dietro l'orecchio, sotto il basco, non lasciava mai quell'insegna del mestiere, ormai vecchietto con un'aria smunta, il basco di traverso sulla fronte, ancora polveroso di bottega, con occhiali e grembiule. Un vero miracolo di logistica le cose che sapevano quei due, sapienti nella loro parsimonia, a loro agio come funghi in bosco. La moto Guzzi di zio Laci, di anteguerra, rossonera e lucente, con un volano da trattore, nel silenzio dei campi e del villaggio sembrava il battito di un grande cuore.

Da quando questo mondo era così, e per quanto ancora, si chiedeva il tenente sotto il melo. E questo è il nemico?

I due vecchi l'hanno messo a dormire nella loro stanza, dentro il lettone che in testiera aveva la

data del 1948, tra le iniziali dei due nomi in goti-
co fiorito rusticano, ricamate anche su federe e
cuscini. E alla parete c'era un quadro in semio-
scurità dove s'intravedeva un santo malinconico
con barba bianca, forse Domineddio dentro il
suo enigma.

Dovete fare molti figli, cercavano di dirgli, e ci
riuscivano, con gesti limpidi e sereni: finché siete giovani, più che potete, sì, circondatevi di vita,
come a Radót, dove i figli sono ancora una bene-
dizione.

Ma un pomeriggio all'improvviso sotto il melo
Manca sonnecchiando ha una sua specie di allu-
cinazione: fiuta un pericolo imminente, coi sensi
acuti da artigliere vede e sente Radót diventata
bersaglio dei suoi missili puntati contro l'empio
Est: Radót è zona d'arrivo dei colpi più serrati e
più precisi, schianti e fiamme, morte e annienta-
mento, e anche lui nel mezzo, colto da fuoco amico: attimo interminabile di panico, si è levato a
scappare traballando, qualche passo, poi la coscienza sveglia, sotto il melo.

Come sa bene un ufficiale che abbia fatto con
decenza l'accademia, ogni attraversamento del
territorio nemico è un riattraversamento critico
delle proprie posizioni. Manca, i documenti in

tasca, deve lottare con un suo sospetto, quando alla partenza vede scomparire in lontananza il cipollone di ceramica del campanile di Radót: sì, deve lottare col sospetto che lì fosse meno estraneo che all'Ottavo Gruppo di Artiglieria Semovente Fusavio. E di un altro sospetto poi diffida anche di più, quando al ritorno in treno vede all'inverso la Soglia di Gorizia, frontiera come prima, sì, tra bene e male, ma con demarcazioni meno chiare. Che fino allora lui avesse custodito i confini dei suoi pregiudizi?

Così il tenente Manca è ritornato dalla tana del nemico.

6

«Non lo fare», gli ha consigliato a lungo il capitano Mascolo, «e se proprio devi, bada che ogni donna ci tiene a sposarsi in pompa magna, velo bianco, fiori d'arancio e tutto il resto. Sempre e dappertutto è così, per una donna».

Ma Carlo Savio lo incitava. Decideva lui quando era il tempo dello scherzo e il tempo della serietà. Manca cercava di evitarli tutti e due, Mascolo e Savio. Erano affari suoi, almeno questi. O no? Ma con rimorsi. Savio riusciva a muovergli le ansie più meschine, i peggiori sospetti su se stesso. Soffriva del suo modo subdolo di aggirare le regole, l'opposto del modo sfrontato del capitano Mascolo. Sì, l'onestà ci vuole in un soldato, diceva Savio serio, e Manca ha sentito che quell'opinione, a prescindere da chi l'esprimeva, meritava il suo plauso, anche se Savio ha aggiunto: «Serve alla carriera, per lo meno».

Ma che importa se il modo delle nozze ha acceso critiche, con quella specie di agguato notturno a don Abbondio, senza auguri e regali? Carlo Savio per lui, la sua amica per Júlia sono stati i testimoni e quasi gli unici invitati: *Feci presto a far quadrare il rapportino dei presenti*, ironizza Manca: come poteva invitare alle sue nozze proprio quelli che se avessero potuto gliele avrebbero impedite? Non c'era neanche Milena, la signora Savio. Nessuno nemmeno dei suoi. Suo fratello medico non ha potuto. Suo padre spaesato gli ha detto al telefono: «Figlio mio, non ti dico niente», come il giorno che è partito all'accademia.

Júlia tutta in celeste, quattro gigli bianchi stretti al petto, lo sposo in borghese neanche scuro. La sola tradizione rispettata è stata non baciarsi quel giorno prima della fine della cerimonia. La sposa ha pianto, lo sposo ha balbettato. Tutto bene. Solo un po' sfocate sono venute le foto fatte dall'amica di Júlia, la generosa come un pellicano, anche nelle lacrime, forse perché alle nozze dell'amica non c'erano nemmeno i fichi secchi della madre della sposa.

Così, dopo nozze da guerra in retrovia, anche il tenente Manca si godeva il lusso borghese di affrettarsi ogni sera al tepore della casa, alla cena, alla televisione, alla sua donna. E Júlia più di lui tornava a casa sempre allegra, manco si fosse riposata tutto il giorno. Si cambiava, si toglieva il trucco, ridiventava una ragazza magiara di campagna, il meglio della vita del tenente Manca.

In pantofole, appena guadagnata la poltrona preferita, il vero Anselmo riusciva a immaginare il suo futuro grande di soldato: il momento perfetto era tornato. Ed era sicuro che sarebbe continuato.

7

Ed è caduto il Muro. Appuntamento con la storia, ripeteva solenne il Colonnello Comandante. Ma quei giorni cruciali Manca li ha passati alla manutenzione di cucine e bagni nelle casermette della truppa.
Addetto alla manutenzione di ogni cosa, risucchiato dal vortice biologico del vivere in caserma, occupato in latrine e salmerie, del crollo Manca sente dire a cose fatte. «Ma chi è stato?», chiede stralunato. E si vergogna, come di un tradimento subìto e perpetrato da lui stesso, imboscato, lontano da tensioni doverose. Mai pensato chiaro, mai sentito dire, ma quando l'ha saputo, ha capito che il Muro lui l'aveva sempre visto come un obiettivo, espugnabile solo *manu militari*, con l'arma dell'ariete della libertà, e poi il tripudio della folla sotto i tigli fatali dell'Unter den Linden, baci di donne e bimbi levati al prode Anselmo sobrio e lieto tra i liberatori.

E adesso? Noi qui in armi sulla Soglia di Gorizia? Senza più le ragioni della guerra fredda, mancano le nuove per un militare. La guerra fredda aveva sue chiarezze, il nemico era nemico, e c'era pure un posto per uno come lui e persino per suo fratello comunista.

«Restiamo sotto attacco», ripeteva caparbio il comandante.

«C'eravamo tanto armati», scherzava adesso Savio. Cade di stanchezza, il Muro, tra i lazzi della folla. Ma prima dava senso al mondo, al buon soldato Manca, a Lampis e a chiunque altro. Che senso ha adesso un mondo dove l'amata missilistica da guerra è ancora puntata verso l'empio Est, Vojvodina compresa? «Un crollo che ci scrolla», dice Savio.

A Júlia la caduta dava gioie, spaventi e meraviglie, un fuoco d'artificio di sorprese. Aveva silenzi lunghi in astrazioni preoccupate, attivismi improvvisi. Soprattutto telefonate in lingue strane, dalle due parti della Soglia di Gorizia.

Per Manca tempi duri, preallarmi, allarmi, pattugliamenti occhiuti di frontiera, movimenti di truppe sui confini, testi classificati innumerevoli alle radio ricetrasmittenti, parole d'ordine inaudite, squilli di tromba mai provati, ispezioni più attente in polveriera.

Sfatto il nemico, quello noto, si affilava la spada
contro chi?

Ma una mattina al termine di una nottata da ufficiale P.A.O., al corpo di guardia c'è trambusto, un
allarme improprio e sul ghiaione del cortile una
corsa scomposta di scarponi anfibi. Stride il telefono da campo: «C'è un morto all'Altana Uno, c'è
un morto all'Altana Uno...», all'infinito, come una
sirena.
E arriva Carlo Savio, gli occhi spaventati: «Il
tuo sergente, della tua batteria... all'Altana Uno!
Chiama tu il comando!».
Manca chiama il comando che tarda a rispondere,
e corre su. Ai piedi dell'Altana Uno, buttato in terra sul fianco destro c'è un sottufficiale, e un Garand
a due metri di distanza che ha sparato da poco un
colpo secco. Sparato in bocca. Ed ecco i risultati.
Manca lo riconosce: è il suo sergente, Alfio Parisi, col viso impietrito che grida senza suono.
Manca lo copre con la fascia azzurra di ufficiale
P.A.O., povero Parisi, di Zafferana Etnea, due anni
di ginnasio, senza più il saldo barcollo da marinaio
sceso a terra dopo lungo navigare. Manca s'incanta
nei ricordi, trafitto di rimorso: Parisi qualche
giorno prima gli aveva chiesto di parlargli con

urgenza. Di cosa, si chiedeva adesso. Mai badato molto al sergente Parisi, che però a tavola, per far piacere a lui, non sprecava mai briciole, le raccoglieva sul palmo, rovesciava di scatto la testa e le buttava in bocca come una leccornia. E adesso un colpo in bocca.

Quando arriva il magistrato e la sua squadra, un armato di fotocamera reflex toglie la fascia azzurra dal viso sfigurato di Parisi, spinge Manca da parte: «Mica scappa, sa?», gli dice, e scatta alcune raffiche: «Mai che mi vengano mosse», insiste, e Manca stringe il Garand, mentre ricorda che qualche giorno prima, a un collega che lo insultava Parisi ha fatto il gesto di puntargli al petto il telecomando, e spegnerlo.

Chi si fa incudine ci picchia ogni martello, diceva sempre Parisi.

L'inchiesta parlerà di «depressione ad alto rischio di suicidio». Ma in tasca al morto Manca stesso ha trovato un biglietto con su scritto «Io non gioco più, io torno a casa».

«Perché?», chiede Manca a Savio, che non gli ha risposto.

Non c'era risposta?, si chiede Manca per iscritto.

8

Torna a casa in un silenzio tetro, di colpa e di vergogna.

Silenzio anche lì con la sua Júlia, che si era fatta qualche conoscenza delle cose militari, ma le trattava come enigmi, pur aspettandosi da loro bene o male. I fatti all'Est li facevano parlare di politica. Quella sera le ha detto che quelli delle sue parti non hanno più l'aureola del martirio, non più sotto il tallone comunista. E così un'altra volta. E altre ancora.

Perché le diceva queste cose? Forse anche perché in quei mesi Carlo Savio ha fatto per la terza volta un corso per attività speciali riservate, nella sua Sardegna, al Centro Addestramento Guastatori di Capo Marrargiu a Torre Poglina, destinazione che anche Manca aveva chiesto inutilmente diverse volte.

Silverio Lampis qui ha certi suoi ricordi personali, confusi, di un suo breve soggiorno in quel posto in Sardegna, soggetto a servitù e a severi *off limits* militari. Ma segue attento Manca che racconta di come aumenta il suo fumare disperato, e in Júlia il fastidio per il fumo, sempre più evidente, diventava odio, si vedeva, questo sì che si vedeva, e si capiva. Lo sorprendeva, e lui sorpreso più di lei, con due sigarette accese: «Non sei sposato al fumo e alla caserma», gli diceva, come la sera che Manca aggiungeva il suo fumo ai gran vapori di una pentola di gulasch magiaro genuino, invitati a cena il Capitano Mascolo e signora. «Sono sposato a te, non alla caserma», protestava.

Non era più sposato alla caserma. Ma la caserma era indignata, con lui. Di una gelosa indignazione: punture di spillo, colpi di fioretto, qualche sciabolata.

Poi le cannonate.

Intanto, due servizi d'ordine: in Calabria contro la 'ndrangheta e i sequestri di persona, in Puglia a perlustrare spiagge livide contro staffette che ogni notte gettavano sulla battigia sconfinati albanesi che sbarcati baciavano la sabbia.

Il tenente Manca sì che il suo nemico l'ha inchiodato al bagnasciuga, con la spada affilata contro il male. Come sono efficienti gli scarponi anfibi sulla sabbia molle, sui ciottoli, gli scogli: fermi o sparo! Solo che il male da respingere stavolta aveva ambiguità, per chi aveva una moglie che veniva proprio da quello sprofondo balcanico che stava precipitando sempre più nei guai, e straripando da noi.

In un mondo ogni giorno più confuso, Júlia ha incominciato a negarsi a certe forme del suo affetto, col silenzio eloquente dei suoi gesti, distogliendo il viso, come a dire: tu non puoi capire.

Ma capire cosa?

Si chiudeva a piangere da sola. E lui zitto. Non c'era più niente da dire. Ma poi come un idiota a desiderare che Júlia volesse tornare quanto lo voleva lui, da dove se ne stava andando ogni giorno di più, chissà dove, e perché.

«Tu torni a casa solo per sfogare il malumore», gli dice Júlia un giorno. A quest'accusa antica, ma con il pregio della verità, esterrefatto lui sente se stesso che risponde: «E tu, non vorresti tornare a quel paese, pure tu?».

«Ci sto già pensando. Così tu torni a vivere in caserma. La caserma è il tuo dio», e Júlia fugge in camera. Dopo un'eternità torna a sedersi vicino a lui. Ma non riesce a parlargli. Fa cenni della testa, le labbra strette strette per non piangere.

Ma che ci succede? Possibile che sia tutto inutile, essere innamorato, litigare, fare la pace, stringere i denti, mollare la presa? Così ragiona Anselmo. Ma chissà che c'è nella testa di Júlia, che certamente è altrove, non è lì, non è più lì con lui.

Quel giorno gli è venuto in mente (già, come mai non glielo aveva ancora detto?) il consiglio ottimista dei suoceri contadini, di fare molti figli. Non ce l'ha fatta a dirglielo. Si sentiva impotente, inadeguato anche con Júlia, col suo potere di donna che capisce, anche se non sa, non ti sa dire.

Voleva almeno smettere quel modo disperato di fumare, che dava anche nell'occhio ai superiori, con alzate di ciglia infastidite. E sguardi lunghi a quelle macchie gialle sulle dita.

E c'è stato il *subentro*, parola che Manca scrive tremante di emozioni: il *subentro* del suo cappellone Carlo Savio al comando della Quarta Batteria, pupilla dei suoi occhi, la migliore del Gruppo, grazie a Manca.

Savio, obliquo e silenzioso, gli ha chiesto per iscritto un regolare passaggio di consegne, previo inventario di ogni materiale sulla base del Registro di Sottocarico: «Sai Manca», gli fa Savio, muovendo in un sorriso i baffi biondi, «è meglio accertare cosa manca».

E Manca pronto, a disposizione. Il suo savio collega fa le sue verifiche e Manca risulta responsabile di ammanco in materiali vari, di commissariato e motorizzazione, di impermeabili da campagna, di un carro addirittura, di dotazioni dei carri e materiali d'armamento e casermaggio, munizioni, pezzi di ricambio e così via inventariando. Manca deve abbozzare. E a conti varie volte riveduti, risulta un addebito di ventidue milioni di lire, pagabili in 44 rate mensili sottratte alla sua paga di ufficiale. Meno male che i materiali assenti hanno un prezzo d'addebito simbolico in Artiglieria, precisa Manca, specie se a causa di esercitazioni. Altrimenti sarebbero stati miliardi di lire: roba smarrita o male registrata in circostanze d'uso, roba sottratta a poco a poco, dagli artiglieri di leva fino agli ufficiali. E da troppo tempo i suoi predecessori non facevano inventari nel passare le consegne.

Di nuovo a casa cupo, assorto in accigliate riflessioni. Di fronte all'ingiustizia si chiedeva come mai le leggi della fisica potessero tenere ancora insieme questo mondo, o anche solo il Carso. Ma non riusciva a dire a Júlia del guaio degli ammanchi. Già finiti i bei tempi. Ogni incanto passato, tutto impediva la tenerezza. A tavola si sorprendevano a sentirsi masticare.

Una sera rientrando l'ha trovata in pianto. Incapace di smettere al suo arrivo, seduta a terra coi ginocchi contro il petto, gomiti alle ginocchia, le spalle mosse in piccoli sobbalzi regolari, chiedendo aiuto al fazzoletto già sgualcito.

«Perché piangi?».

Lei fa spallucce e poi singhiozzi più violenti. Gliene ha dato lui una ragione. Chissà perché, le ha detto del subentro di Savio al comando della sua Quarta Batteria e degli ammanchi da rifondere. Júlia all'improvviso si fa battagliera, gli suggerisce ribellioni, atti esemplari di coraggio contro l'ingiustizia. E così avanti per giorni. Lo voleva audace, almeno contro Savio, sempre lì, con lui, come la rettitudine a braccetto con l'obliquità. E in quest'accoppiamento forse lui non era più la rettitudine: *perché*, scrive Manca e sottolinea, *la prima cosa che una donna non accetta nel suo uomo è la mancanza di coraggio.*

«Ma il tenente Savio è di antica nobiltà subalpina, è un ufficiale colto», protestava Manca, «è figlio di una famosa poetessa, che da bambino a lui ha dedicato un noto libro di poesie».

Come imbrattare un monumento che a lui stesso incuteva riverenza? Nel codice d'onore del tenente Manca non c'erano precetti per quest'emergenza. In casa loro intanto tutto sapeva di discordia e perfino di litigio. Anche ciò che mangiavano e bevevano. A cominciare dal caffè mattutino. Ma perché, perché?

Per riuscire a pagare le rate mensili dell'addebito, Manca ha permesso a Júlia di tornare a lavorare in una clinica a Fernetti, nei turni di notte. Sperando di riuscire anche a studiare. E così anche lui. Se ci vorremo bene, tutto cambierà, lo consolava Júlia consolandosi. Però tornava pure a criticarlo: «No, non dovevi accettare di pagare quegli... *ammanchi*», dicendo bene quella viscida parola.

Lei era cambiata, lui era cambiato.

Tutto era cambiato, annota a lato Lampis.

9

Temuta, scoppiata e finita la Tempesta nel Deserto e già furente la guerra jugoslava, al suo carabiniere interiore in fascia azzurra un solo cenno è stato sufficiente, quando una mattina, già promosso tenente, il Comandante ha fatto convocare gli ufficiali subalterni: «Ci fanno un grande onore, sì, la Patria chiama, in missione di pace in Jugoslavia. Servono due ufficiali osservatori. Lagunari e Folgore ci sono già. Chi si offre volontario?».

Facce poco entusiaste. Manca ha una sferzata di entusiasmo: farsi onore fuori dai confini, magari dalle parti di Júlia, dove fiammeggiano di nuovo i bivacchi della barbarie e il passo della storia ricomincia la sua marcia.

Manca fa il passo avanti. Lui e nessun altro.

«Grazie, tenente Manca», dice il Colonnello disilluso, «resti in attesa attiva di partenza».

L'attesa attiva è stato un corso accelerato in Inghilterra, di quindici giorni, per ufficiali NATO, con un francese, un belga, un tedesco e un olandese. Vita in comune rigida, operosa, all'università di Reading, a studiare l'inglese, indispensabile per chi ha ambizioni missilistiche, in corsi per ufficiali dell'Unione Europea Occidentale, corsi intensivi in classi *full immersion*, vita in comune rigida e sedute di ordine chiuso esercitandosi a eseguire gli ordini in latino: *Adeste, milites!... Gradum sustinemus!* Il guaio è incominciato la sera che Manca ha scoperto che in inglese esiste la parola *Caporetto*, sì, nei vocabolari: *Caporetto, ignominious defeat*, disfatta ignominiosa. Poi in un mensile militare, dei tempi della guerra delle Falkland, Regno Unito contro Argentina, Manca legge che siccome gli argentini sono per oltre metà di origine italiana, e nell'esercito argentino prevale la componente italiana, le Falkland saranno una Caporetto. Poi nel calendario del Department of Sociology per il semestre precedente, uno dei seminari poneva la domanda: *Why Italians do not fight?* Come sarebbe, che gli italiani non combattono? Attenti a non destare suscettibilità patriottiche, mentre un cameriere polacco serviva tristi pasti all'inglese, una sera che il cibo era peggio del solito, con autoironia tutta britannica il loro insegnante Mr Ramon mette a disposizione una bottiglia di buon whisky, prelevata da un mobiletto antico che sembra custodire un gran mistero, e concede pure, quella sera, la compagnia eccezionale di sua figlia, e poi racconta la barzelletta stantia, ma ignota a Manca, del paradiso che è paradiso perché ha cuochi francesi, soldati svizzeri, poliziotti inglesi, birrai tedeschi e amanti italiani; mentre l'inferno è inferno perché ha cuochi inglesi, amanti svizzeri, birrai francesi, poliziotti tedeschi e soldati italiani. Anche Manca ha riso. E il belga con la scusa di una sua nonna italiana aggiunge l'altra che dice di un ufficiale italiano che grida all'assalto! e i suoi soldati tutti immobili rapiti: Bravo, bella voce!

Manca non ride più. E quando il francese storpia le due sole frasi italiane che conosce: *O Franza o Spagna, purché se magna*, e poi *furia francese* di cui scriveva un distratto Machiavelli.... be', Manca si sente il sangue ribollire, ripensa alla Disfida di Barletta, ma cerca di distrarsi con la figlia di Mr Ramon, alta ed esangue, con le spalle diritte e un sorrisino rassegnato: «*Galli gallant*», gli ha sussurrato la fanciulla in un latino inglese che ha dovuto ripetergli più volte con pazienza di maestra, lei latinista di mestiere (aveva procurato lei il testo degli ordini in latino). Ma quando il collega francese ha continuato con quell'altra barzelletta, sempre ignota al Manca: «Un italiano, un mandolino; due italiani, la mafia; tre italiani, una disfatta», allora Manca impallidisce. Nessuno ride più, scricchiola, l'UEO, l'Unione Europea Occidentale e anche la CED, la Comunità Europea di Difesa. Perché non ci si può più battere in duello, pensa Manca? Ma poi chiama a soccorso il suo miglior francese e inchioda il gallo alla seguente cosa: che i francesi non vincono battaglie contro eserciti europei moderni fin dai tempi che un piccolo italiano di Ajaccio li portava alla vittoria. Stavolta è il gallo a impallidire, cercando una vittoria da sbattergli sul muso, e riesce a mormorare: «Sì, ma sulla Marna, nel Quattordici, *nous, on a vachement résisté*».

Per la prima volta in vita sua Manca non compie il suo dovere fino in fondo, ma torna alla sua Monte Lamone prima del tempo stabilito, chiedendosi se c'è al mondo un luogo dove i militari non gli diano di queste delusioni.

Spanne sì, lo delude, si sa. Quando Manca torna al suo reparto, per la Jugoslavia sono già partiti due colleghi che il mattino dell'invito si erano guardati bene dal fare il passo avanti, prima di conoscere le paghe. Uno dei due è il tenente Carlo Savio.

10

Ed ecco un giorno i pezzi grossi sulla Soglia di Gorizia. Con le teste d'uovo della Scuola di Artiglieria di Bracciano, l'*Onorevole Ministro della Difesa* incomincia un discorso patriottico, e già le batterie preparano i tiri. Proprio a ridosso del confine, con circospezione, ma segnali, almeno di esistenza, verso la Slovenia, nei pochi ma paurosi giorni in cui secessionisti contro federali se la fanno a cannonate, brevi ma sonore.

Manca è capopezzo all'obice. Il Ministro fa pausa. Pronti allo sparo, ma lungo le traiettorie dei proiettili ecco sbucare a bassa quota due caccia intercettatori: F104 dell'Aeronautica Italiana? Non possono, non devono essere lì al centro dello spazio aereo per i nostri tiri. Manca però capisce: sono caccia slavi, sconfinati oltre la Soglia di Gorizia, e uno sta per prendersi sulla carlinga una granata nostra da 155 millimetri HE. Prende i compiti del Capo Centro Tiro, spintona l'artigliere puntatore e fa deviare la granata qualche metro al di sopra della fusoliera del caccia ignaro e baldanzoso. Manca leva il braccio con un urlo di liberazione vittoriosa. Ma un urlo solo suo.

Aveva impedito che la granata abbattesse l'aereo, ammazzasse il pilota e avesse l'effetto schegge devastante di esplosione aerea di granata con spoletta a tempo su truppe allo scoperto, e strage di autorità in tribuna a osservare, per non dire di artiglieri, carne da cannone, come quel suo artigliere steso a terra che sul tiro deviato si è preso un colpo di culatta alla cassa toracica: stava lì intontito, con la fune di sparo ancora in mano. Fuoco sospeso.

Poi tutto continua, come se niente fosse stato, dopo che il ministro se la batte: «Qui fa un freddo cane».

Poi Carlo Savio spiega: «Una lode a te significava riconoscere il torto di altri».

Manca sulla Soglia di Gorizia finora ha puntato le sue armi contro l'empio Est, ma sa che stavolta col suo braccio alzato si è piazzato a una svolta della storia. Perché quei caccia non erano uccelli migratori, e lui non era come il suo cane antico che da cucciolo si spolmonava sulla spiaggia del Poetto a caccia d'ombre di gabbiani in volo.

Torna a casa appagato a notte fonda, con dentro di sé la perfezione di quel giorno. Ma è una casa vuota.

Vuota?

Juci! Cerca nelle stanze.

No, Júlia non c'è. Solo il suo profumo. E indizi che lei è partita. Troppo chiari.

Ne ha la conferma dal portiere, Barba Frane, che dice guardando per terra: «Sì, è uscita, con valigie, ha chiamato un taxi».

Manca fa telefonate di controllo. Niente.

Poi, seduto in camera sul letto, piange.

Era la prima volta che riusciva a non fumare per l'intero giorno, pensa accendendosi la prima sigaretta, umida di lacrime. Júlia la sera prima aveva cercato di pulirgli le falangi gialle di nicotina.

«Se ci vogliamo bene, tutto cambierà», gli aveva ripetuto.

E lui: «Sì, ci vorremo bene e cambierà, alla faccia degli ammanchi e degli addebiti».

Questo era il peggio, tanto più perché inaspettato. Del tutto inaspettato. Intorno al suo dolore, alla sua meraviglia, ora spettri famelici, le pene di una vita di nuovo tutte intorno.

Júlia però stava svanendo già da mesi. Questo finalmente lo doveva riconoscere. E sia, ma perché?
Adesso lo riceve e lo comprende anche lui, il fatto, non il senso, di questo svanire, di questo andare via. Non il senso di tutto il plotone di perché
della sua vita, dove questo perché era il più grande. Ora, in quella loro camera da letto, anni luce
lontano dalla sua camicia da notte fresca di buca-
to, dagli abiti piegati sulla sedia, dal sonno molle e tenero in cui l'aveva lasciata con un bacio lieve, la mattina.

11

Nei giorni impauriti, seguendo i movimenti della frana, benché sotto pressione, Manca si attacca a ogni telefono. Come una recluta nostalgica. E chiama Júlia alla canonica di Radót. Le lascia i suoi messaggi disperati, appuntamenti telefonici. Lei li mancava tutti, se mai era là.

Una volta le fa riferire di avere smesso di fumare. Non era vero, anzi stava prendendo l'abitudine di bere: tirava il collo all'ansia tenendo per il collo una bottiglia, per dirla alla maniera del collega Aniello Mascolo.

Davanti alle rovine del passato e alle minacce del futuro, Manca inossidabile rientra a vivere in caserma, con un nuovo drappello di perplessità che non riesce a lasciare fuori di fortezza, e dell'alloggio con la feritoia verso Est.

«I migliori soldati sono pessimi mariti», gli dice Carlo Savio, che doveva farsi perdonare molto. Il dolore è grande, però qui Manca è breve: Savio gli *subentra* ancora: alla sezione missili, e lui esau-

torato è comandato a impratichirlo. Anche il pattugliamento della Soglia di Gorizia è affidato agli
Alpini della Julia. E Savio ufficiale di collegamento.

«Perché», chiede al capitano Mascolo.

«Perché perché, perché il papa non è il re. E
comunque, tu Manca te ne intendi. Ma Savio se
la intende. Non so se mi spiego».

No che non si spiegava. Cos'è che non funziona
nell'Esercito Italiano, nell'artiglieria, nell'Ottavo
Gruppo Fusavio? Perché la sua parte migliore
non importa a nessuno? Finché glielo ha spiegato Carlo Savio, mesi dopo, in uno dei suoi molti
ritorni dalla missione in Jugoslavia, con un cenno alle due famiglie di Manca: quella d'origine con
un fratello sovversivo, quella nuova con una
moglie serba: «E poi i colonnelli non capiscono
mai niente».

Tanto lui, Savio, studia da generale, dicevano
già all'Accademia. E se la vita in guarnigione è
troppo bassa per l'onore militare, Savio spinge da
parte anche l'onore militare per rimettersi alla pari.

12

Poi l'esercitazione sulla Soglia di Gorizia.

Il giorno prima il tuono del cannone slavo: centonove volte. Manca le ha contate a una a una, riconoscendo calibro e gittata. Con il cuore in gola, all'erta.

Tuono senza pioggia? Ma c'era anche la pioggia, e la neve.

Dopo un'alba tardiva e riluttante i mezzi corazzati già in colonna pronti per la marcia, mitragliatrici in torretta a formare una difesa a 360 gradi, nel nebbione più fitto, gelo irsuto. Tutta l'area coperta di neve ghiacciata, buche e doline coperte di ghiaccio indurito: trappole. Uomini aggricciati. Piove e spiove. Dentro gli spessi guanti da carrista, mani diacce. Nuvole di fiato nella nebbia. Tempo boia. Fifa. Goniometri e gonnellini coi colori delle rispettive batterie montati col treppiede sopra i Veicoli Trasporto e Comando MI13 dei Posti di Comando Batteria, radio sintonizzate su frequenza Bice, tutti in attesa dell'ordine di movimento. Che non arriva. Speriamo non arrivi.

Dalla nebbia spunta il Comandante, in impeccabile tenuta da campagna: «Via! O che s'aspetta qui a partire?».

Si parte a predisporre P.O.A e P.O.R., il nucleo controcarri in posizione di difesa, mimetizzazione di ogni mezzo con reti e materiale estemporaneo. La radio gracchia gli ordini nei testi classificati, che il personale della batteria aveva imparato da lui stesso a menadito. Manca per primo annuncia al Comando del Gruppo che alla sua Batteria sono già pronti a reagire a qualunque tipo di attacco: aerei, carri, guerriglieri, NBC, nucleare, batteriologico, chimico.

Ed ecco invece l'ordine di avviare Nuraghe (nome in codice della sua Batteria) in zona di schieramento, nel nebbione più fitto, visibilità da dieci a venti metri: accendere i fari, massima prudenza, via! Subito dopo, l'urlo.

Mai sentito prima un urlo come quello: Manca vede i soldati impallidire fino nei capelli, rimpiccioliti, striminziti nei panni gocciolanti, nuvole di fiato nella nebbia.

Di corsa verso il luogo di quell'urlo, a duecento metri nel fittissimo nebbione; solo pochi passi e il tenente Savio gli viene addosso in una corsa goffa e spaventata sugli anfibi sporchi: «Incidente a Stefanoni!».

Stefanoni? È un artigliere delle pattuglie di collegamento, mitragliere, scelto e comandato a quel compito da Manca. Dietrofront tutti e due, Savio dal ferito e Manca a chiedere aiuto via radio: «Allarme! Barella all'Ottava! Ferito Grave!».

Se hai ordini da dare è una fortuna in questi casi. Ma il Capo Centro Tiro protesta gracchiando nel ricevitore: «Simulazione non prevista».

Ma quale simulazione! Qui non c'è più simulazione. Né gioco né teatro qui, perdio. Manca grida alla radio. Il ricevitore scotta nella mano inguantata.

Contestuale arriva l'ordine di non lasciare per nessun motivo il suo posto di comando batteria, e in silenzio radio: «Ordine di aspettare ordini».

Ma non arriva nessun ordine o notizia, in quel limbo d'ansia con le orecchie a turno incollate al ricevitore della radio: come quando bambino aspetti un segno che c'è Dio. Ma qui oddio che succede? Manca suda nel freddo e nella nebbia, gli abiti appiccicati come intonaco recente.

E gracchia finalmente la radio da campo: è una

telefonata, un'internazionale, dalla Jugoslavia: Radót? La sua Júlia? Pronto!

«Pronto, *Carlo*, scusa, ti devo avvertire... ieri tu non c'eri, mi sono spaventata», fa in tempo a dire Júlia, prima dell'urlo inferocito del vice-comandante: «Che puttanata è questa? Basta, perdio!».

«Agli ordini!», riesce a dire Manca.

Ma il mondo è esploso in tuono. Qui perdio che succede? Per chi era quella impossibile chiamata privata, in piena esercitazione a fuoco in zona operativa? *Caro*, ha detto Júlia: *caro*... o *Carlo*?

Manca non deve perdere la testa, mentre intra-vede gente muoversi frenetica come animali in un'eclisse.

Ordine di rientro in forma non prevista.

Qualcuno grida in radio: «Qui va tutto a putta-ne!».

Manca non ce la fa. Sale su un V.T.C., ordina al conducente la direzione di marcia, rapida, dritto alla Soglia di Gorizia.

Eccolo lì, povero Manca in assetto di guerra, che come in una Waterloo stendhaliana corre in senso opposto a tutta l'artiglieria in ritirata, inco-lonnata nella nebbia a fari accesi, a passo d'uomo, però in fuga, a tratti raggruppata, troppo spesso sbandata, come un esercito sconfitto, *O Gorizia tu sei maledetta!*

Corrono castronerie di bocca in bocca, ma spaventi veri. E proprio lì di fronte al più probabile nemico, buttato in terra in un'oscena scompostezza, un soldato in mimetica, stecchito. Fermi! Manca fa in tempo a farlo evitare dal grosso V.T.C., si butta giù e corre verso l'artigliere caduto, Luigi Stefanoni. Morto. Abbattuto dal nemico, da chi ti spara prima di ogni chivalà. Era *in ralla*, mitragliere in torretta, adesso è lì per terra. Manca gli copre il viso con l'elmetto. Prende il suo Garand *a bracciarm*, lo spiana. Contro chi? Un nemico c'è, quando un soldato muore nell'azione.

Manca brucia di un gelo a lunghe onde dalle dita strette sul fucile fino al centro della testa. Ma insiste in quella guardia allucinata, e resiste alla nausea.

Il sole ricompare sulle pietre livide del Carso, come un'idea confusa, dalle due parti della Soglia di Gorizia, ha lo sguardo vorace dell'occhio di un nemico, il sole pallido. Rigido in silenzio, sentinella del morto, con una spaventosa voglia di fumare, guai a farlo spostare di un centimetro, Manca non lascia avvicinare nessuno a quel suo morto, nessuno in qua della distanza di riconoscimento. Sul Carso, dopo decenni di silenzio assordante, non ci sono solo i fantasmi del passato. Alt! Fermi tutti, per vederci chiaro, stavolta. Con quell'arma in pugno, mentre fa scudo del suo corpo vivo al corpo morto del suo artigliere, Manca rivede la sua vita di soldato, sollevata in un vortice scomposto che ricade a terra, come quel corpo morto lì davanti. Sta facendo la guardia a tutti e due, al morto e alla sua vita di soldato. E nessuno lo smuove.

Finché dopo ore in elicottero è arrivato il magistrato militare: «Che cos'è successo?», chiede il dottor Pezzullo a fiato corto, reggendosi nel fango a un carabiniere, sordo agli avvisi a stare attento al matto col fucile.

«Ne abbiamo ucciso un altro», gli risponde Manca, il Garand *a spallarm*.

13

«Se sei furbo, scordati il giorno d'oggi», gli ha sussurrato Carlo Savio, dopo la rimozione e l'ispezione autoptica del morto.

Ai funerali, pazza di dolore la madre di Stefanoni è strappata a viva forza dalla salma in uniforme, tricolore sul petto, intatto il viso roseo di fanciullo: in perfetta uniforme, finalmente, povero lavativo, a Spanne perché lavativo.

Stefanoni era di quelli che ogni giorno si attaccavano al telefono per ore, a parlare con mamma o la morosa. Manca l'ha punito quando gli ha scoperto una bottiglia di grappa nella busta della maschera antigas, durante un'esercitazione a fuoco. Stefanoni era uno che amava molto quelle gare tra soldati di leva a immaginare quali premi e lusinghe strabilianti avrebbero sdegnato, pur di non fare un'ora sola di naia in più del dovuto, un altro solo di quei risvegli invernali in cameroni gelidi, contando i giorni a uno a uno, e non finiscono mai. E adesso è lì, avvolto nel vessillo tricolore, pronto a tornare al suo paese in Lombardia.

E perde le staffe, Manca, per quelle signore fuori luogo, in lutto chic, senza il rispetto che merita il dolore: le vuole allontanare, le mogli eleganti di ufficiali del Comando di Brigata, conciate come a un party, come a prestare fascino alla cosa, sciorinando lacrime e sorrisi mesti. Manca dà proprio i numeri, c'è un parapiglia. «*Really a crazy show! But the young man is right!*», diceva un ufficiale superiore della NATO, americano. Che poi lo ha avvicinato e gli ha parlato serio: «*You keep thinking, this stops everything*».

Manca invece pensa a dove collocare questo nuovo morto, Stefanoni, a quello spezzone di telefonata, con la voce di Júlia: era lei, lui certo non s'inganna. E ne parla con Savio, che però taglia corto: «Bada, sei tu che hai più bisogno di una copertura: il morto è un tuo soldato», gli ha detto a bassa voce, confidente, complice, soccorritore.

«Tira la catena e sciacquati il cervello», gli ha consigliato il capitano Mascolo.

E invece Manca è stato spedito a fare l'inventario del disastro. Un inventario puramente materiale, che non produce senso né ragione, di ciò ch'è successo sulla Soglia di Gorizia, la mattina che è morto Stefanoni.

E chi ha pietà di lui, sfinito, sporco di fango dentro e fuori, muffo fino alle pieghe del cervello? Un addetto alla sicurezza del trasporto dei mezzi militari in ferrovia, un ferroviere friulano di due metri tipo Carnera che gli ha dato man forte a controllare i materiali, le zeppe chiodate, i cavi e i tiranti d'ancoraggio dei mezzi sui vagoni, sempre sotto la pioggia, dentro il telo mimetico che lascia sporgere la sua povera testa confusa da una finestrella tagliata per tutt'altro capoccione. E gli ha spiegato, il ferroviere friulano, che le esercitazioni sono l'occasione migliore per imboscare materiali militari di ogni genere. Se ci sono incidenti, meglio, che si pesca nel torbido. L'acquirente migliore oggi è di là, lo slavo compra tutto per armarsi in proprio contro il suo fratello.

Ahi la pioggia lunga di Spilinbergo sui teli mimetici, sul giubbotto di pelle da carrista e sulla tuta da combattimento, sui fogli d'inventario del materiale e sui libretti di manutenzione dove i conti non tornavano, mancava sempre questo o quello. Soprattutto mancava Stefanoni.

«Viva l'Italia!», lo ha salutato il ferroviere di Gradisca d'Isonzo, sotto l'acqua.

14

La Magistratura, civile e militare, ha fatto in fretta a stabilire: «L'artigliere Stefanoni è deceduto per rottura della colonna cervicale, sporto in ralla e torretta del semovente M109 e per essere stato colpito da un ramo fronzuto».

Fronzuto? Ahi, l'inverno di quel giorno, quelle zampe arruffate delle piante spoglie, quei fantasmi ossuti e il gioco a nascondino nella nebbia! Cos'è successo in quella bruma cieca? Manca non ha mai chiesto nulla agli artiglieri presenti e ha seppellito chissà dove il suo risentimento. Ma le cose non possono essere andate così.

E come sono andate?, domanda Lampis per iscritto, a lato.

Anche Manca lo chiede e se lo chiede. Tanto che lo spediscono in licenza, a casa sua, a riposare, lontano dalla Soglia di Gorizia dove il mondo si stava riassestando in una nuova confusione.

E Anselmo si ritrova coi silenzi di suo padre, specialmente a tavola, da soli, quando il vecchio imbocca il suo cucchiaio vuoto, rimane lì a succhiarlo, pensa, punta il cucchiaio in direzione di suo figlio, gli occhi risuscitati, come per dirgli chissà cosa, ma non l'ha mai detto. Una cosa però gliela diceva ancora: il suo dovere di tenere alte le tradizioni di famiglia, anzi sempre *excelsior*, lui che da professore d'inglese citava così spesso quel Longfellow, che non è il proprietario dell'Hotel Excelsior, come scherzava il fratello sovversivo, ma un poeta del sogno americano.

Nella città natale Anselmo vaga in cerca di suoi vecchi amici. Presi da altre cose. I figli del fratello già quasi giovanotti non hanno più interesse per lo zio ufficiale. Cambiati loro, cambiato lui. Solo il fratello ascolta le sue pene, senza frette da medico, ma pure senza diagnosi. E senza cura.

Su in Castello rifà le stradine medievali, e immagina la neve che si sta sciogliendo a quello stesso sole, a Spanne, col lento gocciolio sulle terrazze delle casermette. Al mio ritorno dovrò farle riparare.

Lungo la gradinata del Bastione un pomeriggio c'è un gruppuscolo di giovani, al sole d'inverno, che poi si fa enorme nei tramonti a mare. E quelli, foche su una scogliera, bevono, sonnecchiano, la testa appoggiata sugli zaini. Sporchi e trasandati, al tenente Manca in divisa sembrano reduci di una battaglia persa, di qualche spedizione mal riuscita. Di ancora in ordine riportano soltanto radioline, walkman, chitarre, zaini come scudi di testuggini marine.

Manca inciampa in uno zaino mentre fa uno slalom contorto sui gradini ingombri. E accende le proteste collettive, poi le canzonature. E quando un piede scaltro gli si mette in mezzo in una chiara posizione di sgambetto, Manca fa ruzzolare con un calcio involontario una chitarra. Un ragazzotto coi capelli biondi lunghi e femminili corre a recuperarla, valuta il guasto, si fa bellicoso, il viso raggrinzito in un pianto da bugiardo, gli occhi pieni d'astio.

Io non sono mai stato uno di questi, pensa Manca. E cerca di pensarlo con orgoglio. Ma per la prima volta si sente lo sgherro di un esercito invasore. E il cuore gli si stringe di spavento.

Il mondo macina stridendo nei dintorni. Ai vetri delle finestre della sua stanza ritrovata vibrano i dilemmi della storia. Lì il tenente è impegnato a ritrovarsi. E perciò ricorda. Perfino i suoi vagiti: «Che figurone in piazza d'armi, una voce così», diceva sua mamma. O il giorno che rincasa trafelato a sette anni: «Ho giocato al pallone».

«E in che ruolo hai giocato?», chiede suo fratello.
«Ho fatto il pubblico», si vanta un Anselmo di
sei anni.
Solo adesso capisce le facce che hanno fatto, e suo
fratello che commenta: «Be', meglio fare il pubblico che il pallone».

15

Tornando a Spanne Manca visita i parenti del soldato Stefanoni, a Botticino, Brescia. Come il giorno della sua morte, anche quello è di nebbia, e freddo da spaccare strade e pelle. Manca non ha annunciato la sua visita.

Nella casa lo accoglie un gran silenzio. Non soltanto di cose fuori nella nebbia, impietrite dal freddo, ma dei due genitori, che non sanno che dire, né il senso della visita. Non lo sa più nemmeno lui. E come soddisfare, visto che c'era, il loro bisogno di sapere: come e perché è morto, bisogno anch'esso muto, espresso con il corpo, con mimica dolente, parole smozzicate. Manca si accorge di essere lui stesso venuto per sapere, per capire. Gli fanno vedere la stanza, intatta, luogo di un silenzioso culto familiare intorno al ritratto del figlio in uniforme da artigliere, mezzo busto a colori, con ritocchi vistosi e una cornice in marmo, sì di marmo, appeso al muro: come a casa di Manca quell'antico nonno che ha lasciato sul Carso i suoi vent'anni. Questo è a colori, dentro il marmo spesso: «È marmo botticino», dice il padre. E racconta che lui è un cavatore, cavatore del marmo botticino. Non sa cos'è il marmo botticino, signor tenente? Il padre lì si anima, un poco, a raccontargli che la sua famiglia estrae quel marmo da più generazioni, marmo bello, famoso: è il marmo dell'Altare della Patria, a Roma, dell'Ara del Milite Ignoto: «Ma oggigiorno, se non avessimo noi stessi, nemici non ne avremmo, noi italiani». La madre esplode in pianto, si aggrappa al fazzoletto.

Sommessi, imbarazzati, più volte gli dicono grazie della visita. Manca non sa dove tenere le mani e tutto il corpo. Nel salutare i due riescono a organizzare il viso in un sorriso, tutti e due. Ma lui, Manca, confuso dalla micidiale ironia della storia che si affida ai marmi, non sa ricambiare il povero sorriso. Stringi i denti e vai.

«Perché nostro figlio?», gli grida dietro il padre quando Manca è già distante: un grido inaspettato e strano, alto e rauco, forse di rimprovero, certamente di dolore. Manca si blocca, si volta ma non sa fare altro, solo un lungo inchino, verso di loro, per chiedere perdono.

Alibi

Lampis mette via il secondo quaderno. Resta col plotone di punti di domanda in ordine sparso, con l'interrogativo principale: che cosa ci ha trovato il dottor Pezzullo, per le sue indagini, in questi manoscritti? E lui stesso, Lampis? Niente. O tutto?
Chiamo la Florianic? Già, ma che ora è? Appena passata mezzanotte. Chiama, contento almeno di poterle dire: «Ho letto tutto Manca, adesso siamo pari».

«Bene. E cosa ne ricava?».

«Domande. Sui vivi e sui morti. Una per tutte: a
che gioco gioca il capitano Savio? Ma lei, signorina, che cosa ne ricava, ora, dopo ciò che è successo a Manca?».

«Per Manca quello è il miglior alibi», butta lì la
Florianic, ma subito insiste: «Sì, quello è il suo
alibi migliore».

«Alibi? Che alibi?».

«Ma sì, tutto quello che ha scritto sembra senza
né capo né coda, però una cosa è chiara: prova che

il tenente è stato sempre altrove, *alibi*, altrove rispetto a quello che gli è successo, anche rispetto a ciò che ha fatto e voluto e creduto che fosse la sua vita di soldato».

«Già, questo è vero: lui è altrove rispetto agli altri, alla vita militare, comprese le malversazioni di caserma, figurarsi rispetto al prima e al dopo della guerra fredda. Anche la storia l'ha spiazzato, lui è stato da sempre il soldato giapponese solo nella giungla per decenni dalla fine della guerra: sì, lui è stato altro e altrove rispetto a tutto, anche rispetto al suo essere studente qui da noi. Era altrove anche rispetto a sua moglie, anche se questa è la condizione normale di un marito».

«Eh sì, professore, senza scherzi, Manca è in un suo altrove personale anche rispetto al maturare della decisione di sua moglie di andare via da lui. O per lo meno, non vuole scriverne, o non riesce a scrivere di quelle cose, cose troppo diverse e lontane da una vita di accademia e di guarnigione. Io immagino che lì il valore stia negli equilibri, nelle simmetrie dei movimenti e nella compattezza dell'inquadramento».

«Forse, anzi certamente. Manca è merce rara. Non intende né intrighi né menzogne. Sarà sprovveduto, ubbidiente a slanci anacronistici, però tra l'altro si occupa al meglio di armi avve-niristiche».

«Ma con la testa in un passato di antichi cavalieri protettori di fanciulle derelitte. Se non ha i pregi dell'acume, non ne ha nemmeno i vizi». E qui si lascia andare a una freddura da caserma, lei, la dot-toressa Letizia Enea Florianic, che di seccature ne ha col suo cognome slavo-illirico, tanto italo-vene-to quanto slavo-croato, *Florianic*, e poi con quel-l'Enea, che viene dall'Eneo, fiume in quel di Fiu-me, *rijeka* in quel di Rijeka, che per più di vent'an-ni ha separato Italia da Jugoslavia separando Fiu-me da Sussak, ecco, è proprio lei che dice: «Eh sì, il tenente... *manca*, lui sta sempre altrove».

«Specialmente adesso, nel letto d'ospedale. Ma non è lui che manca, che sta altrove, alibi, lui è il solo rimasto al suo posto, che tiene fede alla con-segna, mentre l'esercito italiano è altrove e i suoi commilitoni sono altrimenti, la moglie è altrove, la storia è altrove, anche la Soglia di Gorizia si è spostata altrove cambiando di funzione strategi-ca, anche suo padre e suo fratello sono altrove. Sì, tutto vero, ma cosa l'ha portato su quel letto?».

«Qualunque cosa sia, a parte che è stato uno scoppio, una bomba, un esplosivo, è stato a sua insaputa. O magari qualcosa che nei suoi scritti dice e non dice, o non può dire, o non sa dire».

«Qualcosa successo sia di qua che di là dalla Soglia di Gorizia, qui e dalle parti della moglie del tenente, che non pone domande da poco, anche lei, la Júlia Kiss».

«Ma perché qualcuno avrebbe voluto mandarlo al cimitero, eh, professore, o anche solo in ospedale?».

«Già, il movente. I moventi spesso sono poca cosa, rispetto ai fatti che muovono». Sospira, e anche lui fa la sua freddura da caserma: «E comunque, sarà anche un buon ufficiale, questo nostro Manca, però è proprio un soldato... semplice».

Lei soffia un po' di riso alla cornetta: «Sì, ma come lei m'insegna, il tenente Manca è tutti noi, nel suo perenne non capire, nel suo essere altrove, nel suo arrivare senza essere partito, specie di questi tempi, e in questi nostri luoghi, di nuovo in terremoto geopolitico». Vorrebbe dire altro, ma lei sa che lui continuerebbe a fare il cinico con la vicenda di questo suo studente, soldato semplice. E sa pure che Lampis con lei fa il cinico perché si vergogna, chissà perché, di ciò che sente veramente per il buon tenente Manca, che gli è diventato un chiodo fisso, inchiodato incosciente nel suo letto d'ospedale.

2

Silverio Lampis, dopo i suoi guai matrimoniali,
deciso alla visione spassionata delle cose, stava alla
larga da emozioni forti, e soprattutto dalle donne, in esercizi di mitezza per far cedere le armi
alle minacce della vita, ma attento ai prepotenti
che si buttano su prede troppo remissive.
Ma la smania, la furia lo prende, quando giorni
dopo la visita dell'Arma il magistrato militare
dottor Antonio Pezzullo lo informa al telefono,
cortese, che il tenente Manca è riemerso dal coma.
Lampis corre dalla Florianic.
Lei però sa già, l'ha già saputo con i mezzi suoi.
«Sia ringraziato il cielo», dice, e dice pure un
suo parere, per prudenza, per raffreddare gli
entusiasmi euristici di entrambi, col cinismo
finto tipico di Lampis: «E però, mica possiamo
illuderci che Manca adesso scoprirà tutti gli
altarini».
Lampis corre in anticipo al Parenzo.
Brinda col cameriere Trau alla salute del tenen-

te: «È di razza buona», proclama Trau, «pelle e testa dura, anche se non è volpe di sette pollai». Lampis s'ingozza di non sa che cosa, si vanta degli effetti positivi del suo sangue trasfuso nel tenente. E corre all'ospedale.

Non più in rianimazione, Manca è in stanza singola. Però altolà! Niente visite, ordini superiori. «Ha gli angeli custodi», dice un infermiere. Ciondolano in corridoio, tristanzuoli, due piantoni in divisa. Dai deserti del coma Manca è passato in mano alla giustizia militare.
«E insomma come sta?», domanda poi al medico vampiro, quello del salasso, rintracciato a fatica nei paraggi.
«Talamo a posto, mangia, evacua, parla e intende. È arrivato a pezzi, ma noi abbiamo il mastice per aggiustarlo. Al peggio, perde l'uso delle gambe».
«Vorrei vederlo, fargli una visita».
«Rivolgersi alla magistratura».

Lampis rimette in moto le sue gambe, cerca un telefono, chiama il dottor Pezzullo e chiede di vederlo, subito. Ma certo, subito, tanto ormai Lampis è di casa alla procura. Monta in macchina e corre fino a Padova.

Il dottor Pezzullo infatti è lieto di vederlo: «E l'ha già visto, lei, il tenente Manca?».

«No. Ma lei, l'ha letto il suo memoriale?».

«Sì, certo. Interessante».

«Interessante per un magistrato che inquisisce?».

«Molto, le assicuro».

«Mi pareva di no. Lui scriveva per me, per il suo professore».

«Dipende dalle ipotesi».

«Che ipotesi ha lei, se posso, dottor Pezzullo?».

«Almeno due, per ora».

«Me le dice? E mi autorizza a visitare Manca in ospedale?».

Il magistrato puntella i gomiti sul tavolo, mani giunte al viso, ma non con sguardo pio, guardando proprio lui, con una fissità che a Lampis riesce scomoda: «Per quel permesso, spero le basti il mio». E scarabocchia un modulo, ci spiaccica su un timbro e glielo dà. «Per le mie ipotesi, le posso dire questo, a lei, in sunto minimo, se vuole». Il professore assente, vivace. Pezzullo è didattico: «O c'è un suicidio fallito, quello del Manca Anselmo, che per eccesso d'impegno o di spettacolo produce casualmente un omicidio ben riuscito, quello del nomade Levakovich, una *aberratio ictus plurilesiva* ai sensi dell'articolo 82 del codice penale; oppure c'è ancora un omicidio, forse di tipo preterintenzionale, sempre quello del nomade, con un tentato omicidio ai danni del tenente Manca. Faccia lei stesso altre ipotesi subordinate. Se poi si ipotizza che taluno, al fine di uccidere, abbia posto in pericolo un numero imprevedibile di persone, bisogna trovare chi è da imputare di strage (articolo 422 del codice penale), in questo caso punita con l'ergastolo, reato sottratto alla competenza del magistrato militare».

«Anche se commesso da un militare?».

«Professore, secondo lei si tratta di un militare?».

«Per ipotesi sì, tanto io sono libero di farne, senza rischiare il vizio dell'incompetenza. Ma allora perché non due tentativi di omicidio, di cui uno riuscito, quello dello zingaro, l'altro mezzo fallito, quello del tenente? O perché non un semplice incidente?».

«Ipotesi che non mi compete».

«Ma al mio studente non imputa niente d'importante, no?».

«E invece sì. Dei due, del morto e del ferito, uno può essere l'autore del misfatto contro l'altro. Il suo studente è per lo meno sospettato».

«Di che cosa?».

«Per esempio, di traffici illegali».

«In che cosa?».

«In materiali dell'esercito, per esempio, dalle due parti del confine». Il magistrato vede del sarcasmo nel viso di Lampis: «Non è un'evenienza romanzesca. Mi prenda sul serio».

«Già fatto, da un bel po'».

E il magistrato spiega che c'è gente, di là, a pochi passi dal confine, che vende e rivende le stesse armi ai combattenti della stessa guerra civile ogni giorno più crudele: «E comanda chi e per il tempo che ha la bocca da fuoco più potente».

«Nessi che colgo anch'io», borbotta il professore, col disagio di ascoltare verità intuite, temute, anche risapute. Ha un fiotto di nausea, da sputare per terra, che gli ricorda il giorno che ha scoperto le sue corna, e ha sentito l'odore della sua paura.

Il magistrato intanto lo informa in legalese stretto che la giurisdizione militare si delinea sempre come eccezionale e deve contenersi entro limiti non bene definiti, e quindi si muove sempre sul confine.

«Confine carsico, per giunta».

«Almeno avessi fatto a tutti uno *stub*, anche a Parisi e a Stefanoni morti e a Manca non ancora sospettato quella notte all'Altana Uno, sul ciglio-

ne carsico, per sapere che mano ha sparato armi
da fuoco, avrei meno dubbi su quelle due morti,
morti poi considerate l'una, del Parisi, un suicidio e l'altra, dello Stefanoni, accidentale».
Parisi? Stefanoni? Nomi che il professore ricorda, ma sfuocati. Come sono morti? Ma sì che li
ricorda: morti male tutti e due, secondo il manoscritto del tenente, dove la confusione dei fatti
sembra reticenza generale. «Ma che c'entra Manca, a parte che Parisi era un suo sottufficiale e Stefanoni un suo artigliere di leva?».
«C'entra, professore. È incerto quanto e come».
«Per non dire il perché, che forse è più difficile,
ma importantissimo, per me».
Lampis ha deciso in anticipo anche stavolta una
sua linea da tenere nel colloquio. Ma la sua con-
dotta, da quando è incominciata questa storia, spesso è fuori copione, è una sorpresa anche per lui.
Stavolta, dritto in piedi, ascolta la sua voce dire
in conclusione: «Il tenente Manca, signor giudice, non è una canaglia. Al massimo è un ingenuo».
Il magistrato si insacca nelle spalle: «Però scusi,
eh, ma lei, da buon intellettuale, magari di sinistra, lei non diffida di un militare, della NATO, qui
al confine, per giunta, e che confine, fino a ieri
sera?».

«Be' sì, però *cum grano salis*. Ma se è per questo, diffido anche dei giudici, e dei carabinieri, almeno per atavismo etnico sardo. Il tenente Manca, mio studente, è un militare, ma perseguitato dai giudici, se vuole. E come al solito la forza dello stato è più forte coi più deboli». Il professore trattiene con la mano il magistrato che vuole interloquire: «Ma come fate voi a congegnarvi in testa certe storie? Ha una faccia da spia, da traditore, questo Manca? O sono colpe così normali in Italia che si può affibbiarle a chi si vuole?».

«Lei è partito baionetta in canna, professore. Bene. Ma non è il suo mestiere, e la sua, professore, è indignazione astratta. Mentre io devo congegnarmele bene in testa certe storie. Senza entusiasmi o indignazioni. È il mio lavoro».

«Preferisco il mio».

«Già, i lussi dell'intelligenza in disimpegno», sbotta il magistrato. «Senza l'assillo del giudizio, di decisioni sulla vita altrui, senza sospetti immondi da vagliare, nell'agio di considerare come tutto ha molti sensi e niente ha un senso più preciso, tanto più adesso che è caduto il Muro, e tanto più in un luogo come questo. Lo preferisco anch'io, un bel mestiere come il suo. Ma vede, professore, sa perché tengo una riserva di queste

239

matite?», e solleva un contenitore di lapis antiquati, con la gomma da cancellare a un'estremità.
«Per ricordarmi che ogni cosa che scrivo su qualcuno può essere corretta, cancellata, riscritta».
«Mezzi di scrittura che uso anch'io, di punta e di
coda».
«Professore, lei però certi rischi non li corre».
«Ne corro altri. A ciascuno il suo, e le perplessità
per tutti».
«Lei non rischia di sbagliare, per esempio, in
misure personali coercitive».
«Lo spero bene, allo stato, viste le risultanze, le
comprovate ipotesi...», e il professore non riesce
a smettere quel gioco in parodia di un vago gergo giudiziario. Ma si sente sleale, sa che lo fa per
dare un'impressione di saggezze più complesse, di
uno che ha visto troppo nella vita per rifarsi alle
parole di quel gergo, vecchio e strano come lì sul
tavolo l'enorme e inutile calamaio doppio di bron-
zo e di cristallo, *absburgico* magari. «Grazie di tutto, comunque».
Il magistrato assorto lo guarda andare via. Ma lo
raggiunge sulla porta, con l'autorizzazione a visitare il tenente in ospedale, dimenticata sul suo
tavolo: «Vede, professore, con quelle mie matite, in fondo cosa annoto? La feccia delle cose, che

poi di solito cancello. Professore, il mio mestiere non è riempire le prigioni. Anch'io, sa, conosco gli uomini abbastanza per non credere che interrogarli, giudicarli e imprigionarli possa migliorare il mondo, o uno solo di noi».

Il professore fa cenni di assenso e zitto intasca l'autorizzazione.

Fuori combatte a lungo con la nausea. E con lo spirito dello scalone, con in ritardo le risposte giuste. Con le male morti di Levakovich, Parisi e Stefanoni. E con che cosa c'entra Manca.

Non è affar mio, e non è roba per il mio cervello. E invece non riesce a non pensarci, lungo il viaggio di ritorno a Trieste, col Piave e tutto il resto. Non ha cercato il figlio, non si fidava del suo malumore.

Non va al Parenzo per il pranzo. Non si fida delle sue capacità di digestione. Ha bisogno di penitenza, di mortificazione della carne.

E oggi non può digerire altre novità.

3

Ma il giorno stesso Lampis torna all'ospedale.
Mette il foglio del dottor Pezzullo sotto il naso
di un piantone con un grado, chissà quale. Si fa
sulla soglia della stanza: Manca sta in un letto con
aggeggi complicati come quando stava in coma.
Avanza a passi lievi, imbarazzati. Il tenente ha gli
occhi lucidi, gli zigomi lustri di sudore. Ingessa-
to da un panico improvviso per cosa dire o fare,
e alla distanza giusta, Lampis si scopre a mani vuote, con un sorriso goffo appeso lì per conto suo.
Guarda un Cristo senza croce e una Madonna in
bachelite azzurra appesi al muro sopra il letto del
malato. Abbozza un saluto con la mano. Sposta
una sedia, si vergogna al fracasso metallico inat-
teso, si siede al capezzale. Il tenente segue con quegli occhi lustri. Sorride serio. Ripete: «Grazie, che
sorpresa», quasi fosse un regalo troppo grande, e
l'accettarlo fosse temerario.
«Come sta? Che cos'è successo?», chiede quasi
a bruciapelo, chino sul malato.

Manca si apre ancora in un sorriso: mesto, lungo. Fa un cenno delle mani come a dire chissà quali lontananze. Poi si assesta adagio nel letto. Si schiarisce la gola: «Che cos'è successo?», ripete, con una specie di voce prigioniera, girando gli occhi intorno come a perlustrare i confini della sua impotenza: «Questa è una domanda, professore. Davvero la domanda». Le sue labbra tradiscono il dolore. «Anche se lo sapessi, sarebbe una parola, dirlo».

«Non lo sa?».

«No. Tutti lo chiamano incidente».

«E non lo è?».

«Io quando qui mi sono ritrovato...». La voce si affoga. La pausa è lunga. «La prima cosa al mio risveglio, qui... sa che cos'è stato, professore?». Altra pausa lunga, incerta. Lampis si pente del suo precipitarsi allo scopo della visita. Ma come un motore che si scalda, Manca dice cos'è stata, questa prima cosa: il gracidare asmatico di una radio portatile da campo, e lui redivivo che risponde: pronto! Silenzio minaccioso. Poi una voce immensa, una voce composta dalle voci di tutta la sua vita, unisone e ben fuse ma ciascuna distinguibile, di sua madre morta, del Capo Centro Tiro e di troppi altri che gli hanno dato gli ordini, di sua moglie fuggiasca, di Stefanoni morto, del sergente Parisi, del collega Savio, del professore e di chissà quanti altri, gli ha risposto così: *Pronto, sono Dio, e tu, chi ti credi di essere?* Lui non era nessuno. Risaliva dal buio, dal vuoto, dal silenzio: e un medico telefonava lì vicino al suo letto.

«E non pareva per niente il Dio degli eserciti», dice Lampis troppo allegro, anche della sua voce nell'unisono divino: «E adesso, come si sente?».

«Vivo».

«Non è poco».

«Una parte di me era come delusa di essere di nuovo in questo mondo. Però poi è bello, il tutto che riprende forma. E nostalgia di vita, perfino della vita di reparto. Ora eccomi qua, paziente *borderline*, dicono qui».

«Ancora sul confine», dice Lampis, a disagio anche per qualcosa che gli dà fastidio, seduto sulla sedia di metallo. E dalla tasca toglie il mini-registratore da etnografo sul campo.

«Mi vuole registrare? Vengono a interrogarmi, tutti, a mettere a verbale... adierre, a.d.r., a domanda risponde».

Il professore intasca il coso, chiede scusa: «Tutti chi?».

«Be', soprattutto due procuratori, il civile e il militare…».

«Il dottor Pezzullo?».

«Già tre volte, lui. Lo conosce?».

«Sì. E anche lei, tenente, lo conosce dai tempi di Parisi e Stefanoni. Non ha perso tempo, il dottor Pezzullo».

«E poi i carabinieri, l'avvocato, e anche una signora che vuole notizie dell'aldilà, da chi torna dal coma: dalla vita oltre la vita, dice lei. E poi militari italiani per l'inchiesta interna, militari NATO, un magistrato di Venezia titolare di un'inchiesta su reti di armati e di armamenti clandestini…».

Ma cosa c'è di nuovo nel tenente, si sta chiedendo Lampis: con il resto, gli si è ridotto pure il formalismo. Non parla più con le maiuscole.

«Io sì che vorrei dire tutto, proprio a lei, professore, e se vuole, anzi la prego, registri».

«Se ci tiene…», e Lampis posa l'apparecchio sul comodino di ferro, tra un'arancia e un kleenex, e gli scappa: «Non sarà peggio dei suoi manoscritti». Manca ride: «Agli altri certe cose non le dico, tanto non le vogliono».

«Non si sforzi, c'è tempo».

«Il mio meglio adesso è l'uso di parola, i medici ne sono entusiasti».

245

«Bene, sì, ma non approfittiamone».

«La lingua mi si blocca, a volte, perché adesso ho troppa voglia di parlare. Tutti vengono a farmi domande. E poi me l'ha ordinato il medico».

«Certo che lei è stato zitto a lungo».

«Ma c'è l'amnesia. Dell'incidente non ricordo niente».

«Per ora. E del resto?».

«Del resto, buio. Mi capisce?».

«La capisco», gli assicura, lui che da quando ha visto in estasi sua moglie con quell'altro nella posizione che nel Kamasutra è detta spaccatura della canna di bambù, ha un'amnesia totale e selettiva di quello che di erotico o sessuale c'era stato tra di loro; e in più il tabù del nome, perché lui non la nomina più da anni, sua moglie, convinto di non sapere più come si chiama: «Sì, caro Manca, credo di capire».

«L'amnesia mi mette in sospetto di me stesso. Professore, chissà cosa nascondo».

«E delude il dottor Pezzullo».

«Ma non delude l'amministrazione militare, perché aiuta gli sforzi dei superiori per lavare in casa i panni sporchi. Chissà quali. Il mio avvocato giura che qualcuno mi ha voluto eliminare».

«Ma no. Al suo reparto, nella caserma sonnacchiosa, c'è qualcuno con voglie tanto impegnative? Semmai, che qualcuno l'abbia voluta eliminare, questo è un sospetto nato altrove, dove il sospetto è d'obbligo».

Manca si perde tra i sospetti e i giochi di parole del professore. Si scusa, si fa aiutare ad assestarsi sui cuscini. Specialmente la testa. Guarda il registratore e Lampis sa di avere dato la stura al bisogno di Manca di spiegarsi, con quegli occhi stupiti, il viso tutto una domanda, afflitto da un tremore che non sempre riesce a dominare.

«Sì», dice Manca, «mi hanno tolto schegge da tutto il corpo, cercando schegge di quel loro senso, quando hanno saputo che a suo tempo sono stato in Serbia, e che ho una moglie di laggiù. E scava e scava, scoprono che sono responsabile di certi ammanchi in materiale militare. Quale sarà la direzione delle indagini?».

Il professore si assesta nella sedia e si avvicina: «Quale?».

«Che sono in una combutta di canaglie, di quelle grandi: mafia, servizi segreti, musulmani, slavi e levantini. Non ho mai mirato a tanto, io, coi tiri lunghi e tesi della Quarta Batteria».

«Ma loro sì, gli addetti alla coltivazione del sospetto».

«Come sospetti a me bastano quelli che coltivo su me stesso. Ho nostalgia di tempi più leali. Tutti vengono a solleticarmi ricordi capricciosi, tra una flebo e l'altra. Io però non so, non capisco. O non ricordo. Il mio passato è tutto appannato».

Lampis decide di smettere le sue accelerazioni verso l'epicentro del colloquio: «Ci camuffiamo a noi stessi per primi».

«E non ci ritroviamo più? Ma in qualche luogo, nella mia mente, per diverso tempo c'è stata lotta dura, e adesso ne esco con questa mutilazione, di non poterla mettere in parole. Fossi almeno sicuro di certe cose. Perché vede, professore, in fondo la questione sarebbe, sì, l'amor di patria, l'onore forse, anzi certamente, e poi la fedeltà, il coraggio...».

«E la virtù premio a se stessa».

«Già, mi scusi. Merito la sua ironia. Però la sua domanda non è facile: cos'è successo? Io le dirò tutto, sì, tutto daccapo magari, a lei, non alla psichiatra qui dell'ospedale, o a quella che sta dietro alla vita dopo morti, e prima di dirla agli investigatori».

«Non pretendo tanto. Del resto l'ha già fatto per iscritto».

«Senza andare a capo. Senza capo né coda. Questo lo ricordo».

«Lei ha sempre cercato capo e coda, invece, anche troppo, forse. E l'ha deciso intanto a quale appartiene, delle due categorie di Pascal?».

«Ah sì. Anzi no, a nessuna delle due: né ai buoni che si credono cattivi, né ai cattivi che si credono buoni. Ce ne dev'essere una terza. Non so ancora quale».

«Il mondo nel frattempo le si è complicato».

«Sì, e alla fine è scoppiato. Ma già prima del botto, una cosa mi stava diventando chiara, che bisogna essere cattivi per non sentirsi cattivi, che la cosa migliore è *sfrocoliarsene* di tutto, come dice il capitano Mascolo, e mica solo nell'esercito italiano. Ma non ce l'ho fatta».

«Neanche io ce la faccio a essere serenamente un mascalzone».

«Ma io mi sono visto come sono, anzi, come gli altri mi vedono. Mi sono visto sì, meglio che tridimensionale in un simulatore di realtà virtuale, roba americana, per esercitazioni militari. Mi dica, è possibile vedersi come si è davvero e sopportarlo?».

Il professore si concentra sul Cristo appeso al muro senza croce, che perciò pare più in tormento, mentre il tenente aspetta veramente una risposta. Lo salva uno dei due angeli custodi, un piantone che si avvicina al letto imbarazzato, certo anche diffidente di quel lungo e sommesso conversare: «Si sta fermando troppo, lei, sa?», dice a Lampis.

«È il mio professore», dice Manca.

«Stia tranquillo, io sono il suo tutore accademico», dice Lampis calmo e serio. Il soldatino scatta quasi sull'attenti e se ne torna ad annoiarsi col compagno.

«Forse è meglio smettere», dice Lampis.

Ma il tenente riprende con più forza, in una specie di tenacia ipnotica: «Lei deve sapere che cos'è successo, professore, quanto lo so io e quanto mi vado ricordando, e io glielo dirò».

«Tenente, le devo dire che ho dato un suo quaderno, solo il primo, alla procura militare».

«Il dottor Pezzullo me l'ha detto. Pareva una minaccia, per come l'ha detto».

«Anche noi ne dovremo riparlare».

«Se restasse ancora...».

«Servo solo a stancarla».

«No, io con lei devo rimettere insieme l'uomo sconosciuto che ero prima e l'uomo sconosciuto che ora sono».

«Nientemeno. Le riporto i manoscritti, per rivedersi un po' com'era?».

«Ero un soldato, questo è un fatto».

«I fatti sono onesti. Ma che cos'è un soldato oggi in Italia?».

«Ah, se lo chiede anche lei!».

«Non se ne vede più la presenza, come i preti, in divisa solo in specifiche funzioni».

«Credevo di saperlo. Volevo spiegarlo nei miei scritti».

«Non per questo li ha voluti il dottor Pezzullo. Ma forse è anche per questo che è finito in un letto d'ospedale».

«Non ho scritto tutto, della mia storia, di un ufficialetto che si è preso troppo sul serio. Altro devo dirle, che forse spiega come sono finito in questo letto, o come potevo evitare di finirci. Alla vecchia confusione non deve seguirne una più grande».

«Le sbroglierà domani, a una a una, tutte le voci che si sono dette Dio, chiedendole chi si credeva di essere».

Manca ride: «Io sono Lazzaro, tornato dall'oltretomba, per rivelare tutto».

Iniziano i rumori della cena, con suoni di stoviglie.

«Devo proprio andare», e Lampis prende il registratore.

«Me lo lasci. Riascolto il registrato e ci ripenso, e ricordo ancora per esercizio di memoria».

«Ma senza esagerare», e lo rimette sul comodino di ferro imbiancato.

«Mi dicono che devo ricordare. La mia memoria è un caleidoscopio troppo scosso, dicono. Devo guardarmi all'indietro».

«Già, uno vive in avanti, ma capisce all'indietro».

«Fine delle visite!», grida qualcuno in corridoio.

«Però i vecchi si definiscono al passato, i giovani al futuro».

Anche se deluso, il tenente sorride, con coraggio.

«A domani», si dicono l'uno dopo l'altro.

4

Lampis in corridoio legge su una porta: *Psichiatria. Dott.ssa Marisa Pauletic*. Prova a bussare. Una voce maschile da dentro dice un secco avanti! Apre e s'incastra sulla soglia: una bionda in camice seduta a un tavolo, con piglio mascolino, interrogativa, sigarillo in bocca, lo guarda indaffarata da sotto gli occhiali. Lampis chiede scusa, l'altra tace aspettando. «Si occupa del tenente Anselmo Manca?».

«Del caso M. A., amnesia traumatica? Lei è parente?».

«È stato un tentativo di suicidio?».

«Nessuna traccia di strategia suicidaria. Lei è parente?».

«Sì, alla lontana...».

«Il soggetto è un classico maniaco depressivo, in limiti normali. Ma non è stato un tentativo di suicidio, se le fa piacere».

«Grazie. E la sua amnesia?».

«Normale, dopo quella botta. Normale e circoscritta. Come al risveglio la mattina, più o meno lentamente si riprende nozione di ogni cosa. Il coma è solo un sonno più profondo. Non è ancora al punto di volere ricordare, ma se lo impedisce ogni giorno di meno».

«E se non gli conviene ricordare?».

«Be', se non noi qui, magistratura e polizia sapranno rinfrescargli la memoria». E aggiunge una risata, da fumatore di toscano, che insegue Lampis lungo il corridoio, dove rivede il telefono a gettoni, da cui aveva già chiamato la procura militare. Si fruga in tasca, trova l'appunto della Florianic, prende e rifà il numero. Qualcuno gli passa subito il dottor Pezzullo.

E quasi senza convenevoli: «Ce le ha sempre lì le sue matite, con la gomma in coda?».

«Be', sì, perché?».

«Perché il tenente Manca ha un alibi di ferro».

«Alibi, che alibi?».

«Quello che alla procura voi chiamate memoriale».

«Cosa sarebbe adesso questo memoriale?».

«Un alibi», Lampis ripete sillabando.

«Un alibi?».

«Sì, un alibi, un altrove, un io-non-c'ero».

«Non la capisco, sa?».

«Nemmeno io. Però il Manca, per me, non è un sospettato, è parte lesa».

«Professore, nei prossimi giorni mi trasferisco a Trieste, anche per il caso Manca-Levakovich. Mi devo coordinare con la magistratura ordinaria. Se vuole, ci si può vedere».

5

Lampis è di parola. E Manca l'aspetta, l'indomani:
«Ho ricordato una cosa, professore».
«Sì, ma come sta quest'oggi?».
«Bene, sto meglio. Posso dire?», e accenna al
magnetofono sul comodino: «La psichiatra dice di
registrare ogni ricordo, anche impreciso».
Lampis fa di sì, accende il magnetofono e Manca parte: «Pioveva molto, la mattina che ho visto
gli adesivi pacifisti sui vetri della mia auto. Tornavo dalle cerimonie funebri del povero Stefanoni.
Li ho contati: sette adesivi. C'era scritto qualcosa sulla naia, contro l'Esercito Italiano. Sotto il
temporale guardo le gocce di pioggia appese agli
aghi del pino sbilenco dalla bora, ogni ago la sua
goccia in punta, come una fioritura di rugiada. Là
sotto avevo parcheggiato il giorno dell'arrivo al mio
reparto».
Il professore soffoca starnuti per la pioggia.
«Quel giorno era il mio ventinovesimo compleanno. Ho sentito bisogno di una doccia vera,

di lavarmi e lavarmi il corpo nudo. Sotto l'acqua, nel vano della doccia rivedo quel Manca rognoso palloso montato meschino cretino, leggibile nell'umido al di sotto di una mano di vernice. Nudo in ginocchio sotto l'acqua, tutto il corpo in pianto, mi sento rognoso, palloso, montato, meschino, cretino. Prego mia madre, il Padreterno che da un militare certo vuole più sicurezza nell'agire. Fretta, avevo fretta, mi ricordo, senza più tempo per pensare, smarrirmi e rinunciare al mio proposito: perché c'era un proposito, quello che adesso tutti vogliono sapere. Anch'io. C'era un cielo stellato quella sera, sul Carso, con anche la mia stella, maldestra, sfortunata. E la mia polveriera in bilico sul mondo nella Soglia di Gorizia. Mi ricordo, sì, una specie di ambizione del finale».
Zitti tutti e due. Riprendono fiato. Bisogna dire qualcosa. Parla Manca: «Che cos'è successo, lassù in polveriera? Tutti me lo chiedono. Anch'io».
Manca sospira, allarga le braccia, che oggi sono un po' più libere, ieri levava solo gli occhi al cielo: «Già, cos'è successo? Proprio stamattina, al dottor Pezzullo che voleva sapere il perché di tutte quelle storie del fucile spianato e tutto il resto quando è morto Stefanoni, gli ho detto che quel giorno ho fatto guardia armata alla verità».

«Povera verità, se deve avere guardie armate».

«Ma a volte è necessario, no, professore?».

Lampis leva le spalle e non risponde.

«Il dottor Pezzullo si siede sulla sedia dove siede lei, quando m'interroga, e fissa il pavimento tra le mattonelle, segue intrecci gialli. Ma i gialli a me non piacciono, io leggo fantascienza, missilistica interplanetaria, navigazione intergalattica, viaggi balistici nel tempo, dove ogni limite si sposta sempre in là. Le cose rasoterra non le ho mai capite, tanto meno queste».

«Vedrà che si ritrova capo e coda».

«La coda eccola qui, dura da spellare. E il capo? Tutto daccapo, mi dice la psichiatra qui dell'ospedale che si occupa di noi traumatizzati, curiosa della mia amnesia: che cosa mi è successo, prima, molto prima, fino da bambino, figura materna, figura paterna e così via». Manca però sa che ci deve pur essere un punto, di recente, un detonatore, non una miccia così lunga accesa nell'infanzia: la caduta del Muro di Berlino, la Waterloo dell'artigliere Stefanoni, la fuga di sua moglie, la guerra oltre la Soglia di Gorizia: non più grilli e cicale ma fucileria, non lucciole di notte ma pallottole traccianti, verso la Vojvodina, dove ora sta sua moglie dopo averlo abbandonato nei suoi dubbi e smarrimenti, e infine nel tumulto di questa dolorosa vitalità ritrovata dopo il coma.

«Di sua moglie lei nel manoscritto all'improvviso smette di parlare, e ieri nel coro di voci del Buondio l'ha detta fuggitiva». Ecco, l'ha detto. Temeva di non farcela.

Il tenente fa gesti, facce, si fa coraggio, la prende alla larga: «Erano tempi duri, a Spanne, io col fiato corto, sempre all'erta, anche ventiquattr'ore di preallarme, verde di sonno perso. E una sera rientrando a casa, stanco com'ero, per quella maledetta storia del fumare sempre, in casa e fuori casa, Júlia mi rimprovera, e io la mando a quel paese, la mia Júlia, sì, la mando a quel paese. Quale paese?, mi chiede lei. Già, quale paese? Júlia non ha un paese, lei semmai ha un popolo, me lo diceva sempre. Il suo paese è rotto e la sua terra è stata sempre in complicato condominio. E adesso Júlia mi guardava, come a dire: tu non puoi capire. Il mio modo di vivere le faceva così male, a Júlia?».

«Sua moglie sentiva e agiva a misura della tragedia jugoslava. Lei invece agiva e sentiva a misura della nostra commedia degli inganni, finché tutto non si è rimescolato. Del resto, uno non sa mai com'è che anche la donna con cui vive arriva a certe conclusioni».

«Gli occhi di Júlia, sa, sono cangianti, come a doppio fondo, ma per me prima c'era solo tenerezza. E ancora non penso che a lei. Più la penso e più si gonfia l'ansia di pensarla. Perché se n'è andata? Faccio bilanci, per capire, ma forse sono sempre falsi. Se questa è malattia, ero già malato, anche se mio fratello medico mi ripeteva cantando che d'amore non si muore, te lo dice il dottore…», e ride, ma si strozza in singulti di dolore fisico. Si riprende intrepido, con gesti di calma cancella i gesti preoccupati di Lampis. Poi si guarda intorno: «Oggi mi sono rivisto allo specchio».

«Gli specchi si tenevano lontani dai malati, un tempo, in Sardegna».

«Mi hanno sbarbato per la prima volta, da sveglio. Quello non sono io, mi sono detto, come zia Bonarina davanti alle sue foto».

«Lei è tornato se stesso, oggi più di ieri».

«Con che vantaggio, professore?».

Lampis è esonerato da una risposta, perché stanno arrivando i medici in corteo. E lui se ne va, con saluti brevi, prima che lo mandino via, come ieri sera all'ora di cena, come un cane in chiesa.

6

Quella sera al telefono la Florianic dà notizie nuove a Lampis: «Dalla caserma di Manca e dalla polveriera PSG sono usciti trecentocinquanta metri cubi di detriti in meno di quanto El Cocàl ha trasportato alla discarica di Repen. Tutti registrati come resti di opere edili».

«Che significa? E come le risulta?».

«Risulta da carte del morto, di paga per trasporto, che le donne Levakovich in silenzio mi hanno messo in mano: risulta se le confronta con le fatture rilasciate all'amministrazione militare da quella discarica, che ne certifica il servizio di smaltimento».

«C'entra il tenente Manca?».

«Tutti quei documenti hanno sempre una firma per conto dell'amministrazione militare, quella del tenente Anselmo Manca».

Lampis sbuffa: «Non vorrà segnalare agli inquirenti anche queste scartoffie?».

«A chi, a quali inquirenti? Mi sono informata: su un eventuale peculato militare commesso da un appartenente alle forze armate indaga il pubblico ministero militare, ma su eventuali falsi documentali, che il reo avesse realizzato per celare quel peculato militare, indaga il magistrato ordinario, che indaga sul Cocàl che però è già morto».

«Ma che bella storia di rottami, di relitti, di reietti, insomma di rifiuti».

«Che noi però non vogliamo rifiutare».

«Perché si servivano di uno come il povero Cocàl? E che cos'è l'in più di quanto ufficialmente caricava alla caserma, e alla polveriera, che andava a scaricare alla discarica di Repen? Ferrivecchi della nostra scalcagnata artiglieria?».

«Non c'è smaltimento di rottami di ferro alla discarica di Repen. Però altre cose sanno fare gli zingari da secoli, magari all'insaputa dei gagé, che siamo noi non zingari».

Lampis la guarda a bocca aperta: «Capisco. Ma sa cos'è? È la guerra, signorina. Siamo in retrovia. Mentre al fronte si ammazza e si è ammazzati, in retrovia c'è traffico di tutto, contrabbando, intrallazzo e borsa nera. Nessuna novità. Tanto ci basti».

«A lei però non basta».

7

All'ora delle visite serali Lampis è di nuovo in ospedale, con una scaletta mentale di appunti dove domina il quesito: cosa c'era tra Manca e El Cocàl? Manca accenna subito al registratore, nonostante due flebo a infastidirlo: «Non riesco ancora a registrare niente. Ma ho riordinato le mie idee, sul dopo Muro di Berlino».

«Sulla resa dei conti in calcinacci? Bene, ma a proposito di calcinacci, lo conosce lei un certo Cocàl?».

«No. Chi è? C'entra col Muro di Berlino?».

«No, ma con le macerie sì. Quelle del Muro sono le macerie più allegre di un secolo di macerie», sospira Lampis con negli occhi le cannonate serbe di ieri sera contro il Ponte Vecchio a Mostar. «C'entra con le macerie, sì, e si chiama Zeno Levakovich».

«Quello che è morto con me alla polveriera?».

«Lei non è morto! Da vivo, El Cocàl trasportava macerie con un Ape Car».

«Sì, dalla caserma Monte Lamone e anche dalla polveriera».

«Lei come l'ha saputo che lo zingaro ci è morto?».

«Me l'ha detto il dottor Pezzullo, al primo interrogatorio, appena fuori dal coma. Lui raccoglieva anche la cenere di sigaretta da tutti i posacenere in caserma».

«Già. Ma lei diceva che adesso ha ricordi di altre macerie».

«Sì, macerie della mia vita coniugale. Una sera, rientrato a casa, tempo dopo che Júlia era partita, subito ci sento il suo profumo, e mi si piegano le gambe. "Júlia, dove sei, Juci?". In anticamera non c'erano più certe sue cose. Al posto dei suoi quadri e della vecchia pendola ungherese in corridoio, macchie quadrangolari alle pareti. E lei? No, lei non c'era più. C'era stata, sì, ma per portarsi via le cose sue. Il campanello di casa mi ha fatto sobbalzare, più di una cannonata. Era il portinaio, il vecchio alpino lungo che a suo tempo si era presentato come Bortul Francesco, reduce di Russia, Barba Frane per gli amici. Già, Barba Frane, che quando ha saputo che il suo nuovo inquilino era sardo e militare mi fa: "Lavata l'hai la gavetta?"».

«Simpaticone. E dunque quella sera suona a casa sua».

«Sì. Barba Frane mi riportava le chiavi di casa, quelle di mia moglie: "Ha detto che non le servono più. Comandi sior tenente!". E se ne va. Non meritavo neanche un breve addio, di quelli che nei film si scrivono nel bagno col rossetto sullo specchio? Nel bagno io ci ho vomitato, quella sera. E anche un'altra volta, quando il capitano Mascolo mi ha detto, dopo la solita lezione sulle donne: "Manca, senti a me, quella ti ha sposato solo per farsi italiana. Toglitela dalla testa! E *sfrocoliatènne*, che tanto le donne, si sa". "Non ti permettere, sai!", gli faccio io furioso. "Eh, non ti pigliare collera, io l'ho sempre saputo, chiedilo a Carlo Savio", e mi cattura gli occhi, mentre mi dice sillabando: "Era tutto previsto: tu la sposi e lei si fa italiana, chi ha avuto ha avuto, chi ha dato ha dato…"».

«E lei glielo ha chiesto a Savio?».

«Non ricordo, ma credo di no. Ricordo bene che gli ho spaccato la faccia, al capitano Mascolo, che non se n'è sfrocoliato, ma ci siamo pestati con impegno, con molti cocci al Circolo Ufficiali. Rotta l'amicizia con l'unico collega che in caserma mi mostrava simpatia».

«L'unico? E Savio?».

«Non so, su questo punto non mi fido di me stesso. E le botte con Mascolo prendono sensi strani nell'inchiesta: di conti regolati con la forza, come nelle combutte di ladroni. Ricordo che ho rimpianto i duelli di una volta, in pro dell'onore di una donna. Certo che io adesso me lo chiedo spesso, di Júlia, come mai, perché se ne sta fissa al suo paese, se ci teneva tanto a essere italiana, con tutto quello che combinano dalle sue parti? Comunque, vigilare il Carso adesso era ancora più importante. La mia esperienza era preziosa. Sono tornato ai miei pattugliamenti sul confine».

«Certo, sopra e sotto, in fondo e in superficie». Il tenente zitto. «Se il Carso è una groviera, bisogna vigilare tutti i buchi, foibe, doline, inghiottitoi. Magari anche esplorarli. E anche le discariche. Ce ne sono certune a ridosso del confine, come quella dove Zeno Levakovich scaricava non esattamente quanto caricava alla Monte Lamone, ha presente?».

Manca però non coglie le allusioni e i sottintesi carsici del professore. E non saprà mai di avere superato bene la prova della pista dello zingaro, che va di traverso tra i confini che lui custodisce.

8

La sera a casa, Lampis riceve due telefonate, tra le altre. Una di sua moglie, che gli ordina più impegno per fare esonerare il figlio dal servizio militare: «Con il petto che ha, povera stella, mica sarà difficile».

Per togliersi d'impaccio lui millanta conoscenze alla procura militare. Subito dopo, *lupus in fabula*, altra chiamata ed è il dottor Pezzullo: «Come sta, professore?».

Lui ha ancora il batticuore, come ogni volta che ha a che fare con sua moglie, ha la coda di paglia e molto altro, anche col dottor Pezzullo, però gli risponde: «Bene, e lei?».

«Mi fa piacere. Anch'io. Ma senta, professore, le devo rimandare i carabinieri o me lo consegna lei, il secondo quaderno del tenente Manca?».

«Come l'ha saputo?», biascica, colto in fallo.

«Le pare il modo di aiutare il suo pupillo? Non è lei che ha detto che quel memoriale è il suo alibi di ferro?».

Si sente salvato dal suo stesso assalitore: «Vengo domani. L'avevo già deciso. Come l'ha saputo?», rifà più convinto delle sue ragioni.

«L'aspetto domani, verso le dieci, qui in procura, va bene?».

«D'accordo», ma stava quasi per dire signorsì.

Puntuale, la mattina dopo alla procura militare Lampis consegna il quadernone a un dottor Pezzullo indaffarato, che gli dice ironico: «Ne vuole copia, stavolta?».

«Piuttosto, mi dica, che cosa sono questi traffici, di armi e di non so che altro?».

Il magistrato fa gesti che indicano rotte e direzioni varie, accenna dietro di sé a una carta geografica murale, con segni, bandierine, puntine colorate: su Bosnia, Serbia, tutti i Balcani e il Caucaso per giunta. E l'indice inanellato del dottor Pezzullo si ferma su un punto: «Perché non la Vojvodina, per dire?».

«Quello è un luogo calmo, che io sappia: dalla televisione, intendiamoci, e quello che non dice la tivù nemmeno esiste. Dunque la Vojvodina non c'è».

«Non scherzi, professore. Non c'è soluzione se nessuno pone le domande».

«O se le fa sbagliate».

«La Vojvodina c'è, non è proprio tranquilla, si sa, e c'è stato Manca, mi risulta».

«Lo so. C'è qui, nel secondo manoscritto. C'è stato in incognito».

«Incognito? Lo sa, professore, che gli jugoslavi sapevano i nomi di tutti i nostri ufficiali nel Triveneto, dai sottotenenti in su?».

«E noi qui invece? Ma tanto, la guerra fredda non c'è più. C'è la guerra calda, da quelle parti. Questo scombussola il buonsenso, più della geografia di quelle vecchie carte dell'Istituto Geografico Militare».

«Ma lo sa, professore, per dirne una che non dovrei dirle», e Pezzullo si alza e va a mettere l'indice destro sulla carta appesa al muro dietro di lui, «lo sa che la moglie del Manca sta in galera qui, in Vojvodina, a Novi Sad?».

«In galera? Júlia Kiss?».

«Sì, lei e anche il suo parroco, il parroco di...», e guarda in certi suoi fogli, «il parroco di Radót. Tutti e due per tradimento, alto anche lì, quel tradimento: incriminati per attività contro lo stato, in uno stato traballante e in guerra».

«Io l'ho conosciuta», mormora Lampis.

«Júlia Kiss? E com'è?».

«Bella. E il tenente, cotto».

269

«Anche lei di lui?».

«Chissà? Ma importa?».

«E secondo lei, importa? E importa sapere perché a suo tempo è venuta a Trieste, e perché a suo tempo è ritornata là?».

«Ha scelto la libertà, no?».

«Anche, professore, la libertà, non crede?».

«Sì, anche, da queste parti certe cose le chiamiamo anche così. Ma se lo sapessimo bene il perché, sapremmo molto. Che magari è niente, agli occhi di un procuratore militare italiano, oggi. Il Muro però stava ancora saldo il giorno delle nozze. Farà bene a leggere».

«Non ne dubito. Lei invece ne dubitava».

«Lei non dubita oggi quando immagina una Mata Hari di Vojvodina? Dagli scritti di Manca viene fuori una Lili Marleen, semmai, e poi un parroco cantore, non un prete carbonaro».

«Questa è l'accusa serba: alto tradimento. Poco da scherzare. Può finire male».

«È già finita male, dottor Pezzullo. E non ci dormo la notte, io, da giorni e giorni. Al tenente Manca in ospedale gliel'ha detto che sua moglie è in gattabuia?».

«Perché?».

«Non glielo dica di sua moglie in galera».

«Professore, mi creda, non dipende da me».

«E che rapporti avete voi qui con la magistratura serba, di Vojvodina, civile e militare, di pace e di guerra?».

«Abbiamo i rapporti che risultano proficui anche per loro, in quella loro guerra civile, solo quel tipo di rapporti».

«E Carlo Savio, il capitano Carlo Savio?».

«Perché, lo conosce, professore?».

«Se posso dire la mia, quello...».

«Ah, non è un suo pupillo, il Savio?».

«No, e non mi piace. Nemmeno questa storia di spie in gonnella mi piace. Mi pare così assurda, qui e ora, e anche di là, nel pasticcio tragico jugoslavo. E meno male che a Budapest non si fanno più scottare dai loro irredentismi in terre slave».

«Se lo dice lei, professore».

«Lo dico sì. Le sembro fuori tema, fuori luogo? Ma come fate voi magistrati civili e militari a muovervi da qui nel ginepraio di popoli, culture, lingue e religioni di quei luoghi?».

«Certo a noi mancano le sue lezioni di etnologia, sulle difficili convivenze plurietniche balcaniche».

«Da come lo dice, quel suo *professore*, be', sembra un insulto».

«No, mi scusi, ma anch'io devo scusare le sciatterie giudiziarie dei non addetti ai lavori».

«La Vojvodina, per dire: ignota lì a due passi, grande come il Friuli, ha una maggioranza serba di religione ortodossa, una grossa minoranza di ungheresi protestanti e cattolici, gruppi di cattolici croati, di romeni ortodossi, di bulgari ortodossi, di luterani e cattolici tedeschi...».

«Povero Cristo, ridotto a un Arlecchino sbrindellato!».

«E poi anche zingari ed ebrei, residui di quell'altra pulizia etnica nazifascista, per non dire dei misti a incroci vari, *a Dio spiacenti ed ai nemici sui*. E prova un po' a soffiare sul fuoco degli irredentismi, delle suscettibilità etniche, delle rivalse storiche, del *right or wrong, my country...*».

«Sarebbe a dire?».

«Sarebbe a dire che in pro della patria pure il male è bene. Lo dicono gli inglesi e tutti più o meno l'hanno praticato nel mondo, finora».

«A Napoli noi lo diciamo per la mamma, questo *right or wrong*, e provi un po' a darci torto».

«No, ma non molliamo il punto», e quasi sbatte i pugni su quel tavolo non suo, «torniamo alle mattanze da tonnara qui a due passi oltre confine», e qui Lampis si ricorda ciò che non aveva messo a fuoco quando nella notte leggeva il secondo quaderno del tenente dove scriveva di Capo Marrargiu in Sardegna, di corsi speciali al Centro Addestramento Guastatori frequentato da Carlo Savio; anche lui, a metà degli anni Ottanta, ci aveva fatto un breve corso sulle complicazioni etniche dei Balcani, a gente che Lampis non capiva chi fosse: e certo era stato deciso così, che lui non avesse il problema di chi fossero quei suoi alunni attempati in quella specie di ritiro spirituale. Di Capo Marrargiu, soggetto a servitù militare, Lampis ricorda soprattutto le torme di gabbiani vocianti tra la terra e il mare, in un posto che gli è parso il luogo più bello del mondo.

«Ha ragione, professore. La ringrazio», gli sta dicendo vago il magistrato, non abbastanza preoccupato di ciò che ricorda e che accalora il professore, cambiando posto alle sue cose sulla scrivania, quasi a baluardo: «Grazie del suo dono», e solleva i due quaderni del tenente, «terrò conto ch'è un alibi, e che il tenente Manca è parte lesa, per lei».

«Ma quei manoscritti sono un alibi anche per chi li ha segnalati a lei. Chi è stato, dottor Pezzullo?».

«Non posso dirlo. Ma dove sta, più esattamente, l'alibi di Manca?».

«Se ho ragione io, lei lo ha già capito».

«No, ma capisco che per lei il tenente Manca è parte lesa».

«Più leso di così».

«Sì, purtroppo. Uno però non ammazza il suo alibi», mormora Pezzullo per se stesso.

Ma Lampis lo sente, capisce abbastanza, e deduce: «Dunque ho ragione io, è stato Savio a segnalare a lei l'esistenza dei manoscritti di Manca, perché sappiamo tutti e due che quanto scrive Manca è un alibi anche per Savio, anzi soprattutto per Savio».

Il magistrato fa spallucce, già tutto chiuso in una sua faccia dura da segreto istruttorio.

9

Lampis se ne va, cercando il senso del suo ruolo, non solo in questa storia. Non ha più vergogna di avere fatta sua l'idea dell'alibi rubata alla Florianic. Pensa che anche nell'idillica Vojvodina qualcuno si è impegnato a prepararsi l'infelicità, lacrime e sangue. Storia vecchia, stantia. Ma c'è dentro lui, in questa storia, e tutto è troppo nuovo.

«Ho una testa come un alveare di stoppie dei Carpazi a primavera», si lamenta con la Florianic, dopo che con discrezione l'ha sgridata perché non si mostra abbastanza interessata alla geopolitica balcanica.

La sua sgridata, e anche il suo lamento sulla testa come un alveare provocano sorrisi mesti tra le lentiggini della Florianic, lei corazzata da una vecchia indifferenza verso i guai di quei luoghi, fino dall'infanzia, afflitta dalle rancorose nostalgie dei suoi parenti esuli fiumani dopo la seconda guerra mondiale, e figurarsi un nonno legionario di

Ronchi con D'Annunzio, eia eia alalà, finito in Sardegna, a Fertilia presso Alghero, presso quel Capo Marrargiu... Già, bisogna che ne parli alla Florianic, di Capo Marrargiu, si dice già da tempo. La sponda, l'acume, la franchezza dura della Florianic servono sempre a Lampis. È una sicurezza, anche se tagliente a volte, come una sforbiciata. «Ricorda, signorina, Manca che scrive dei suoi desideri di andare in Sardegna per corsi speciali al Centro Addestramento Guastatori, e invece ci è andato Carlo Savio?».

«Sì, certo, abbastanza».

«Ci sono stato anch'io, tempo fa, a parlare dei luoghi delle sue origini giuliano-dalmate e dintorni balcanici. Magari a quelle mie povere lezioni c'era pure il Savio. Il mondo è piccolo, ti stringe e ti urta da ogni parte».

«Sì, ma il tenente Manca?».

«Già, Manca c'entra sempre come i cavoli a merenda, però non se ne perde una, di merenda. Ma da questo a farne un delinquente, ce ne corre. Per un magistrato, civile o militare, Manca non è sospettabile più dei suoi zingari».

«Perché, li sospetta, lei, i miei zingari? Di che cosa?».

«Quel suo Cocàl, se fosse vivo, avrebbe da spiegare che ci stava a fare, il giorno dello scoppio, col suo furgone intorno a quella polveriera».

«E il suo tenente Manca?».

«Lei si preoccupa di un morto, signorina, io di un vivo».

«Mica poi tanto vivo, poverino, neanche lui».

«Il tenente sta meglio. E le mie visite gli fanno bene».

«Perché uno zingaro è sospetto, e il suo tenente no? Perché è un suo conterraneo? O perché è così sprovveduto?».

«La sprovvedutezza non ha mai garantito per nessuno. Tanto meno garantisce essere mio conterraneo, per me. È che questa faccenda di macerie, di piste degli zingari, di questa enorme carie del carsismo, di foibe, di doline e di discariche…».

«Sì, professore?».

«Non mi va». E adesso non gli va nemmeno la Florianic, che resta una sicura roccaforte, ma a volte finge di puntare le sue batterie contro di lui, come adesso, e lui non riesce a dirle più niente, tanto meno di Capo Marrargiu e Torre Poglina che stanno nelle brume di un povero ricordo. E se la prende con lei: «Lei certe volte non aiuta, sa?».

«Perché la verità mi preme più che a lei? O non

è lei che in questa storia vuole soprattutto una cosa, l'innocenza del tenente Manca?».

Il professore cede a una risata, breve, di quelle che salutano improvvise verità.

10

«Fai ancora lo speleologo della domenica?», chiede Lampis al cameriere Trau, durante il pranzo, con l'aria di chi ha pensato bene prima di parlare.

«Sì. Perché? Anche lei è tentato dal profondo?».

«Tentato? Già, se questa è tentazione». Questa di Trau è frase che Lampis sa che viene da manuali di speleologia da diporto, ma è cedendo a quella tentazione che parlando e dicendo scendono in ispirito a Postumia e a Ternovizza, nel ventre labirintico del Carso, e poi in miniere antiche dell'isola natia, cunicoli di buio e di sudore.

«Sa, professore, lei ha un corpo adatto».

«Certo, a fare il verme».

Trau dice del padre minatore, sempre bianco di talco. Lampis dice dei sogni di bambino, esploratore delle viscere del mondo, giù nelle case delle fate con i loro telai d'oro; di quando ragazzino, scappato di casa, scopre una grotta segreta e inaccessibile, con odori e suoni misteriosi, una luce dorata giù da un buco verso il cielo, in alto: è lì che Silverio ha imparato a sentire la vita nella sua accogliente indifferenza. E al termine del pasto propone a Trau un'escursione speleologica: «Facile, solo a sviluppo orizzontale».

«Come no? Vengo, andiamo con tutto il club speleologico di Monrupino».

«No, tu solo mi basti, giù di sotto agli inferi, tu mio Virgilio». Poi Lampis si fa serio, sgrana tanto d'occhi preoccupati: «Ma si può rischiare?».

«Dipende».

«Il luogo è delicato, e forse anche male frequentato».

«Ho il porto d'armi», bisbiglia Trau, cupo e risoluto.

«Che c'entra il porto d'armi?».

Ma Trau gli legge in faccia che invece forse c'entrano, laggiù nel fondo carsico, proprio le armi.

«Non parlarne a nessuno», gli fa Lampis, preso dalla serietà della faccenda, da non ammettere nemmeno con se stesso. «Non ci si può tirare sempre indietro».

Trau ha un'aria d'intesa molto seria: «Certe volte bisogna fare il salto, lei m'insegna, come fanno a Rodi...».

«*Hic Rhodus, hic salta*. Ma ne farei a meno volentieri».

11

Quel pomeriggio in ospedale Lampis trova suo padre e il suo avvocato al capezzale del tenente. Presentazioni complicate, orgoglio del tenente che esibisce il suo professor Silverio Lampis, antropologo di fama internazionale.

«Le sono molto grato, professore, per questo mio figlio sventurato», dice il padre, ormai sotto le macerie delle tradizioni di famiglia.

«Non esageriamo», minimizza l'avvocato, che ostenta certezze di vittoria, anzi di archiviazione, «tutta una bolla di sapone, paff! vedrete!».

«Uno scoppio c'è stato», dice il padre, cupo.

«Non ci sarà processo. Son cose delicate», bisbiglia l'avvocato, «c'è di mezzo il segreto di stato e anche altro. E il procuratore Pezzullo è un amico, tignoso, ma un amico».

E così via, ottimista. Infine, scambio d'indirizzi. Il professore offre la sua casa triestina per la convalescenza del tenente. Dopo sguardi lunghi e toccamenti incoraggianti al povero malato, se ne vanno.

Lampis, rimasto solo col malato, toglie dalla borsa certe cose in dono tra l'ornamentale e il commestibile, anche da parte del cameriere Trau («Non ci può andare sempre a mani vuote», gli ha detto).

«Si è messo in cerimonie, professore».

Lui resta in cerimonie: «Uomo notevole, suo padre».

«E del mio avvocato, che le pare?».

«Mah... credo che sull'esito del tutto abbia ragione lui, a modo suo».

Un'uniforme fa capolino nella stanza, uno degli angeli custodi, più che altro diffidente, per noia.

«Tutto a posto, grazie», lo congeda il tenente. Che però è stanco, e si vede che soffre. Dice: «Stamattina di là, nella stanza a fianco, è morto un ragazzino. L'hanno portato ferito dalla Bosnia, dieci giorni fa».

Lampis si siede sulla solita sedia di ferro dipinta di bianco.

C'è un gran silenzio all'improvviso in tutto l'ospedale.

Manca chiude gli occhi. Riposa.

Lampis cerca di fare il punto della situazione. A modo suo. Ma riesce solo a complicarla, senza remissione.

12

Il tenente riapre gli occhi, più calmo: «Quegli adesivi pacifisti sulla mia auto, stanotte ho ricordato meglio. Ma non ho registrato, mi dispiace».
Lampis accende il magnetofono sul comodino, accavalla le gambe e si fa attento.
«Mi è successo qualcosa quand'ho visto gli adesivi incollati a tutti i vetri della mia auto». Manca leva gli occhi al soffitto: «Tornavo dal servizio esequie al povero Stefanoni, prima dell'imbarco della salma all'aeroporto di Ronchi dei Legionari, onori funebri concessi in quanto D.A.S., Deceduto in Attività di Servizio. Molti adesivi, uno per ogni vetro, anche ai retrovisori. Non era la prima volta. Mesi prima, uno che diceva: *Più autobus e meno carri armati*. Stavolta erano troppi, tutti uguali: *Di naia si muore!* E in primo piano due piedi visti per la pianta, su un marmo d'obitorio, la suola di un anfibio e un piede scalzo, con un cartello appeso all'alluce: *Morto per la patria*, e un cubitale *Signornò!* che scoppia in una macchia ros-

so sangue, e il commento: *Di naia negli ultimi tre anni sono morti milletrecentosessanta giovani di leva*».

«Ed è una cifra esatta?».

«Non lo so. Ma si dice».

«Sono numeri da bollettino di guerra».

«E io la sera mi ci sono ubriacato. Quasi bello, finché dura. Mi sono ubriacato col mio portinaio. Era la sera che mi ha riportato le chiavi di mia moglie, Barba Frane, il vecchio alpino lungo, in un bar bettola a Trieste, un omone solenne che per ogni cosa dice un bel *comandi!*, come si fa a Trieste. Gli ho raccontato tutto, non quanto adesso a lei, ma forse meglio, cose senza onore, ma più umane, forse perché i bicchieri tracannati si accendevano dentro come lampi, capisce?».

«Niente di meglio contro l'intransigenza».

«Scaldano il cuore. I suicidi ci sono sempre stati, nell'esercito. In pace come in guerra. Anche nel Regio Esercito, anche nell'Imperial Regio di Cecco Beppe. E il vecchio dice i suoi, di memorabili suicidi di commilitoni: di quello che si è ucciso mangiando mezzo chilo di mostrine e di altre insegne con le punte, ferraglia militare che i soldati si portano sui panni; di chi si era sparato in bocca e chi nel culo, con rispetto parlando; di un

285

altro che ha inghiottito intero l'opuscolo del regolamento di disciplina militare, con sapone e lamette. E io scoppio a ridere a singhiozzo, al tavolo di ferro arrugginito coi vecchi giocatori di scopone, perché ho ricordato la diagnosi di mio fratello sugli effetti del regolamento militare incorporato. Poi abbiamo retto insieme qualche muro a tarda sera per le strade di Trieste, io e Barba Frane».

Il malato si ferma, chiude ancora gli occhi, poi riparte: «Avrei voluto vomitare tutto il cibo ingerito nella vita militare, la mattina dopo, finita quell'ebbrezza e sostituita da tristezza colossale, quando c'è stata la visita del COMAMOCA, del Comitato Mamme dei Morti in Caserma. Avevo l'ordine di riceverle, proprio io che avrei voluto gettarmi in ginocchio e chiedere perdono a chiunque, figurarsi alle mamme di soldati morti in servizio di leva».

«E cos'ha detto a quelle madri?».

«Che la media italiana dei suicidi in divisa è quella dei giovani della stessa età. Che si progetta *l'individuazione preventiva degli psicolabili incorporati*, già, si chiamano così, e che in complesso gli incidenti nell'esercito sono inferiori a quelli della strada. Che altro dire, io, a quelle madri? Che la vita militare è un gran crivello, che tiene i forti e sputa via le mezze cartucce? Quel giorno, davanti al comitato delle madri, nelle mura tetre della Monte Lamone, mi sono ritrovato nel salotto buono di casa Stefanoni, nel marmoreo silenzio botticino. Come sentivo falsa la mia voce, davanti a quegli sguardi, mentre parlavo di... *individuazione precoce dei soggetti a rischio*. Me la sono cavata? Ho ripetuto a quelle mamme, anzi a una sola che meno severa annuiva sempre lì davanti a me, le cose che la sera prima aveva detto a me quel vecchio alpino nella bettola a Trieste sui suicidi di caserma, Cecco Beppe e tutto il resto imperial regio o solo regio. "E vogliamo andare avanti in questo modo?", ha chiesto dura e seria la signora che annuiva lì davanti. Frase troppo grossa, per non essere l'ultima».

13

Lampis va a trovare l'ex alpino portinaio, in Piazza dei Foraggi, sulla strada di casa. Barba Frane è scontroso e diffidente, dopo il solito *comandi!* Perché già altri tipi strani, dice, gli hanno chiesto confidenze sul tenente Manca, e anche di più sulla sua signora moglie. Il gran vecchio si arrende anche lui quando Lampis si qualifica tutore accademico del tenente Manca: «Ah be' sì, comandi, si figuri!».

Barba Frane lascia la moglie di guardia in portineria, dopo che moglie e marito si sono ricoperti d'improperi triestini, troppo terrificanti per essere veri, accetta l'invito del professore e vanno al bar: «Come la volta col tenente Manca, tempo fa, non pare vero, dopo ciò ch'è successo. Uno così per bene, sa, il tenente Manca».

Dopo il terzo bicchiere di rosso friulano, Lampis dice: «E della moglie del tenente che mi dice?».

«Bella mula, bel faccino, porcellana di Vienna. Peccato che si sono separati».

«Mai nessuno a visitarla, militare o civile, magari conterraneo della donna?».

«Di questi tempi ce n'è tanti di slavi trafficoni, posso ben dirlo io, sloveno per un quarto. Mio nonno era uno Skabar qui di Monrupino, ma per tre quarti sono ciccio, ciccio di Cicciaria, sa, *de quei... cicio no xe per barca...* Di quei di là però non ne ho mai visti a Piazza dei Foraggi. Erano gente riservata, la signora e il tenente. E lui è un ufficiale, uno di prima classe. Certo che adesso i militari sono un'altra cosa», riflette abbassando i seri occhioni blu sul suo bicchiere vuoto, «è tutta un'altra vita, quella del militare di oggigiorno. Non c'è più la gavetta, hanno piatti e tazzine, tovaglia e tovagliolo e la domenica anche i fiori in tavola. Non sanno più soffrire, sudare, faticare, i militari d'oggi».

«Ma l'arte del soldato è ancora quella di fare guasti e lutti».

Il vecchio chiude gli occhi azzurri, come accecato da una luce: «Lei non beve? Beve i miei discorsi?». «È vero», dice Lampis annuendo. E il vecchio gli racconta quanto lui è stato un bravo alpino, con scarponi e muli, da buon italiano, anche se da ragazzo gli avevano insegnato a rimpiangere la *Defonta*, l'Imperial Regia, la Kakania, insomma l'Austria-Ungheria che li faceva credere parenti di tutti i re del mazzo di carte europeo, e poi di come è stato minatore, quindici anni dai crucchi nella Ruhr, poi vigile notturno... e qui si ricorda di qualcosa: «Dopo che la signora Júlia se n'è andata, il tenente Manca l'ha fatta ricercare, da uno di quei poliziotti, sa, privati, da un *detektif*».

«Davvero, e allora?».

«Ha chiesto certe cose, questo poliziotto, specie a mia moglie, quella chiacchierona. E lei adesso l'ha ridetto a quegli altri poliziotti, quelli veri, la mia signora moglie».

«Che cosa?».

«Gli ha detto, ai poliziotti veri, la mia signora moglie, adesso che hanno fatto domande sul tenente Manca che sta all'ospedale, gli ha detto, mia moglie ai poliziotti veri che il tenente Manca aveva fatto ricercare sua moglie in questo modo, la signora Júlia, da un occhio privato, sa, come nei film americani». Barba Frane si mette a frugare nel portafoglio ripescato a fatica da sopra una natica implicata nella sedia: «Eccolo, questo qui», e gli mostra un biglietto da visita, altisonante, di un certo *Alec Sander, detective*.

«E l'hanno ritrovata, la moglie del tenente, i poliziotti, pubblici o privati?».

Il vecchio leva in alto le sue lunghe braccia e gli occhi azzurro cielo nella loro velatura acquosa, e mescola tutte le sue lingue: «Boh, *keine Ahnung*... Eh sì, *mismo stari*, siamo vecchi, ciò!».
Barba Frane, cerimonioso, si scola l'ultimo bicchiere.

14

Quando Lampis è fuori dal bar, nel crepuscolo, con panico improvviso non ricorda dove ha parcheggiato. Ha il vino triste: come tutti i cornuti, si è detto crudelmente, perché ricorda tempi quando il vino suscitava sensi più chiari e voglia di far festa. Quando la ritrova, l'abitacolo della sua Y10 gli pare il luogo più amichevole del mondo. Ma via Settefontane, così lunga, gli ricorda l'indirizzo di Alec Sander, detective, in una traversa dei paraggi.

Parcheggia, scende, va e cerca, trova, si guarda intorno circospetto e suona. Un automatismo apre il portoncino e una voce metallica maschile dal citofono lo invita ad accomodarsi in anticamera. Già, con questi sei uomini in attesa come dal dentista, seduti distanti, in angoli, con le spalle a un perlinato in plastica giallognola, come spaventati, quasi ostili, afflosciati su sedie di plastica bianca. Entra e si siede. Scomodo, il più possibile lontano da chiunque. Tutti zitti. Da dietro la porta a un certo punto, sì, devono proprio essere appena dietro la porta, nel commiato, si sente una voce ostile e lamentosa, e un'altra che risponde, con mielosa pazienza, cose che certamente ha già spiegato. E tra quelli in attesa si leva una risatina sporca. Sei cornuti, si dice Lampis con disgusto. È proprio qui che volevo venire? Quasi per giustificarsi con i sei in attesa, sporge il braccio e lo piega per guardare l'ora, e come se ci avesse letto una notizia decisiva, si rialza e fa un inchino per saluto.

Fuori ricorda all'improvviso di avere dimenticato il compleanno di suo figlio, di Bruno, e che a quell'ora lui dovrebbe essere a Padova, con la torta, col regalo. E con un'altra testa.

Troppo tardi per scendere a Padova. Cerca di rimediare, chiama il figlio da una cabina telefonica. E combina altri guai.

Torna a casa facendosi altro male perché cede al vizio di paragonarsi agli altri, nelle cose di donne, anzi di mogli. Vuole convincersi di avere avuto più fortuna del tenente Manca, lui che sua moglie l'ha sorpresa in flagranza di adulterio, nel talamo nuziale, senza i tormenti della sindrome d'Orlando che non vuole ammettere un'Angelica infedele. E la rievoca, suo malgrado, la vecchia situazione di adulterio da pochade, da cui non scappi con una risata, o col telecomando da un banale inferno da telenovela. In tivù certe cose le fanno intravedere, o cambi canale, mica rimani lì paralizzato, com'è successo a lui a quella vista, proprio lì davanti, di sua moglie con l'altro: proprio un telecomando gli è mancato, un tasto sotto il pollice, per spegnere la vista intollerabile, mentre il suo piede lì nel corridoio invece sì che ha urtato qualche tasto della rampa lanciamissili US ARMY di suo figlio Bruno, che si è messa in moto rumorosa a fischi e scoppi, e ha rivelato la sua presenza agli amanti indaffarati, ricacciati di colpo giù dall'estasi d'amore. Poi anche sua moglie protestava che non era come dicevano quelle evidenze incontestabili. Ma nella vita di Lampis, che coltiva il dubbio e la perplessità, l'unica cosa certa sono le sue corna. Che come ogni altra conoscenza, mostra altre ignoranze.

La bella Júlia invece, chiara di avvenenza, è opaca di evidenza, a paragone di sua moglie, donna trasparente come una vetrina, dove però Lampis non ha mai capito il valore della merce esposta. Così gli pare adesso. Sua moglie: comunica il mistero, ma contiene il vuoto, così qualcuno ha detto di una certa donna, perché anche lei aveva

le sue attrattive, ma non sarebbe mai più riuscito a ricordare che cosa l'aveva attratto in lei, tanto meno a ricostruire le circostanze che li avevano portati al matrimonio, e a generare Bruno.

A casa, nella notte, sale sulla ferita, il professore
si ricorda la scusa accusatrice di sua moglie sulla
loro avara intimità: «Che pretendi, tu che per anni
mi hai concesso il tuo sorriso agro circa una volta al mese?»; e dato che c'era, gli ha pure rin-
facciato le partite di calcio e i film western in tivù,
i multipli telegiornali, il periodico infrattarsi in Sardegna e sui Carpazi, mai una volta un po' a bal-
lare: «Non mi ha calcolata», concludeva rivol-
gendosi non a lui, ma alla sua propria delusione.
Eppure anche lui aveva posto quella donna in
cima a tutto, meta per cui si affronta ogni pericolo. Neanche lui era stato all'altezza.

Nella notte c'è un altro temporale, dopo starnuti di premonizione. Il primo tuono gli frantuma
il sonno in mille pezzi: sudato, col cuore raddop-
piato, in preda all'ossessione di dover trovare
chissà cosa di vitale, in sogno stava rivedendo in
una foto ovale il viso di suo figlio, soldato Bruno
Lampis, in mezzo a tanti visi in foto ovali, con stellette e mostrine, e anche il tenente Manca era nei
ranghi degli Eroi Caduti per la Patria, col figlio

Bruno infante nell'ovale, mostrine e stellette sotto il mento, e il professore lo imboccava riluttante, lo ingannava col gioco delle guerre stellari, coi missili di Manca: «Aprire il boccaporto, aaaahmmm!». Lampis si alza a chiudere le imposte. Dà uno sguardo di sotto, mentre un lampo illividisce il rosa confetto dell'Agenzia La Pace. Confusamente sente voglie di vendicare Manca e anche se stesso, su quel Savio, mentre di fronte ghignano i teschi e gli ectoplasmi della Libreria Esoterica Nosferatu, illuminati a intermittenza dalle insegne quadricrome del Minisupermarket, nella notte instancabili.

La strada dello zingaro

Un sabato di giugno Lampis va la mattina presto in facoltà. Ha un appuntamento col collega che per invenzione indipendente studenti e professori chiamano Bottiglia: geografo, anzi geomorfologo, Adeodato Santini ha studiato a Leida, sembra una bottiglia e soffre di vuoti di ogni genere, ma l'inferiorità del fisico è negata da un'aria di grande sicurezza. È esperto in confinistica, la scienza dei confini, specie carsici, è consulente dell'Istituto Geografico Militare di Firenze e vive sulla Soglia di Gorizia.

Prima di Bottiglia in facoltà Lampis incontra la Florianic, su di spalle e giù d'umore, come sempre di sabato. Prima che gli legga tutto in faccia, le dice in tono di difesa: «Bisogna chiarirla questa foiba, questa dolina interstatale con discarica del Sekula. Tornare su, o scendere piuttosto».

«O andarci di traverso: come dice lei, *zigàn...*».

«*Cigànyùtra megy*. Si dice di chi inghiotte male e

gli va di traverso. Manca era uno che inghiottiva, finché gli è andato tutto di traverso».

«Stia in guardia anche lei, professore».

«Da che cosa?».

«Dall'inghiottitoio, dalla discarica di Repen».

«Quello sì ch'è un collo di bottiglia, da passare».

E con Bottiglia si rintana nella stanza delle mappe.

Bottiglia dirà poi che Lampis era strano, quel giorno, che non chiedeva diretto, ma cercava di capire se un buco carsico può fare da passaggio clandestino, davanti a mappe della Soglia di Gorizia e del carsismo triestino, istriano, sloveno e carniolino, con polje, foibe, uvale, canali aerei e sotterranei, e infine viene al punto: «Un abisso carsico usato da discarica d'inerti, quanto è verosimile?».

Bottiglia fa spallucce: «Ma perché diavolo t'interessi di queste cose?».

«Conosci la discarica di Repen?».

«Repen? No. Be', sì», Bottiglia fa una specie di nitrito, come impennandosi a un ostacolo improvviso: «Ma quella lì è del Sekula».

«Appunto. Non ci vuole un esperto in confinistica

da dopo guerra fredda per sapere dei traffici transfrontalieri come quelli del Sekula».

Lampis accenna a residui e residuati bellici della guerra fredda sulla Soglia di Gorizia, fa un cenno all'incidente dello zingaro e di Manca, a morti come Stefanoni e Parisi, che devono essere ben altro dalle conclusioni delle magistrature civili e militari, e in un contesto geopolitico da prima e dopo guerra fredda. Bottiglia enumera foibe e doline dei dintorni, profonde e complicate più di ogni rimorso: «Troppi ci sono già spariti in ogni tempo!».

«Un modo carsico di sparire, e di fare sparire».

«Però tutti i Carsi sono già mappati, sopra e sotto e di traverso, e sono sotto controllo di autorità civili e militari di una mezza dozzina di paesi, in tutta trasparenza».

«A me non risulta, né per il passato né per l'oggi, e voglio sapere di imprese come quella del Sekula», sbotta Lampis che fa gesti d'impazienza, poi di stizza e tratta male Bottiglia.

«Io sono responsabile solo di fronte alla mia comunità scientifica, caro collega Lampis».

«La tua comunità scientifica, belli esperti in buchi, sì, in buchi nell'acqua, ciechi nei sotterranei della confinistica».

«Non siamo mica topi o talpe o pipistrelli, noi umani. E io davanti a un pozzo carsico non mi sbilancio, mai».

«Lampis mi ha parlato male, molto male, e mi ha invitato a darmi alla sodomia», si sfoga poi Bottiglia con la Florianic.

2

«Mi sbilancio io», dice il professore alla Florianic, dopo.

«Vuole davvero mettere il piede in fallo, sul Carso?».

«Bottiglia è un fesso, mi ha deluso». A lei pare
una delusione soddisfatta, mentre lui continua: «Sì,
bisogna scendere», e fa pollice verso, ma poi scioglie subito il pugno in gesti di perplessità.

E per la prima volta in tanti anni, Letizia Florianic sbotta: «Non sarà mica matto!».

«Ho il gusto del pericolo, non se n'è mai accor-
ta? Sono un Don Chisciotte io, ogni mattina faccio brusca e striglia a Ronzinante, e ho cinto
anch'io l'elmo di Scipio. Se non proprio scendere in profondo, si può fare un bel viaggio in superficie, verso la Vojvodina, a incontrare il Pezzullo locale, il Pezzullo serbo, magari anche la moglie
del tenente, dietro le sbarre serbe».

«Soprattutto, *cherchez la femme!*».

Il professore con la sua Florianic non ha mai parlato del mistero in cui si perde la moglie del tenen-

te. Per certe cose lei è discreta col puntiglio di quando era una scolaretta col treccione rosso. Neanche stavolta riescono a dire quanto vorrebbero di questo problema della moglie serbo-magiara del tenente Manca. Il professore si astrae, immaginando il viaggio in luoghi a repentaglio. «Trovare la forza di fare certe cose, il tempo e la grinta», dice a voce alta, senza badare a come lei lo guarda ironica, ma preoccupata. «Ma no, non ho mai tempo, tanto meno il coraggio, sono anche Sancio Panza e sono Tartarino. Se ho messo l'elmo sulla testa, ho pure il suo maglione grigio, nella borsa da sella del mio Ronzinante, pronto all'avventura».

Lei si tradisce con un altro rossore nel suo viso pallido di rossa, e dice in fretta: «Piuttosto, c'è da parlare con quel tale, Carlo Savio, che va osservatore in Jugoslavia e ne ritorna capitano, anche se non ha fatto il passo avanti al primo invito. Di lui Manca scrive sempre reticente, ambiguo».

«Ambiguo è lui, Savio. E ha ragione lei, quando si tratta di Savio io divento matto. Esagero. Da qualche tempo è come se...», ed eccolo pentito di avere detto troppo, ma sta sulla china e non si può fermare, «e poi io... be', sento il passo di gatto dell'insidia», e in un profluvio di parole dice e non dice di sentirsi intorno subdolo l'antico potere della forza bruta che si abbatte sui deboli che sanno e che hanno visto: «Insomma, mi pare che qualcuno mi pedini, a partire da casa, dall'ospedale, dall'università, dal Parenzo».

«Come sarebbe? E non dice nulla?».

«Glielo sto dicendo». E finalmente dice dei suoi tentativi di cambiare strada, di non ripetere un itinerario, per prudenza, come chi teme agguati, lui così preciso, mai fatto deviazioni, da regolarci l'orologio, come Kant a Koenigsberg: «Ma sì, sarà un miraggio».

«Magari il miraggio di un eccesso di chiarezza».

«Già, sulla strada dello zingaro».

«Stia attento, e se inciampa mi passi il testimone, anzi me lo passi subito, mi dica tutto, si lasci aiutare, la prego, per favore. Io... me lo deve, credo di meritarlo».

Però Lampis svia, dice del giugno già troppo soffocante e degli umori variabili del tempo, che non aiutano, poi dice di sentire nella nuca una spirale di dolore che sale su, sempre più su, e penetra più in fondo a ogni movimento. E se ne va, per evitare altre domande, e di sentirsi spinto a più rivelazioni.

3

Senza più scrupoli per altri suoi doveri, Lampis all'ora delle visite quel sabato è di nuovo all'ospedale. E al capezzale del tenente c'è già la Florianic, che fa per andarsene, ma lui la trattiene con un gesto gentile e imperioso.

«Cos'è questa storia dell'investigatore privato?», chiede al tenente a bruciapelo, come se la Florianic non ci fosse.

Manca fa una faccia, annuisce più volte, con calma crescente, fino a rasserenarsi. Accende il registratore, lo spegne, si assesta nel letto e sui cuscini: «Ricorda la scazzottata col capitano Mascolo?».

«Sì, per certe opinioni sul perché sua moglie l'ha sposato. Cercava di svezzarlo da sua moglie, e disquisiva di perfidia delle donne, tutte uguali».

«In quella storia gli altri non vedevano che corna».

«E delle corna altrui si ride tutti», brontola il professore.

«Come chi ha scritto *Vedi Manca* alla voce *cornuto* sullo Zingarelli in fureria».

«Ma questo investigatore privato?».

«L'amore è cieco, dicono, però fa buona guardia, spia. Sì, ho ingaggiato un investigatore. Così ho saputo che Júlia era stata al suo paese, in Vojvodina, ma poi era tornata, abitava a Fernetti, vicino all'Autoporto. E riceveva in casa Carlo Savio».

«Ancora quello? E perché?».

Silenzio. La Florianic zitta più di tutti. La domanda sta lì. Il tenente fa una delle sue pause a occhi chiusi, che quando li riapre fanno grida d'allarme, poi dice: «Secondo il detective, Júlia ha fatto più volte avanti e indietro, tra qui e la Vojvodina. Questi andirivieni li avevo già potuti constatare anch'io, che ci ho passato sere buie, di nascosto, fisso su quella casa giù a Fernetti, accovacciato nella vecchia FIAT, in divisa e in borghese, seguendo e interpretando i movimenti di due sagome, sì, della mia Júlia e del tenente Savio, dietro finestre illuminate. Nessun dubbio per me che su quello schermo andasse in scena una tresca tra i due, e dentro di me un dramma della gelosia». Ancora gli occhi chiusi, a lungo. Poi: «"Scusi, sa cos'ha fatto l'Inter?", mi ha chiesto un tale che passava, una domenica sul tardi, a me chiuso in auto a naso in su verso le finestre. Non ho capito e quello mi ha mandato a quel paese in triestino. Ceduti i nervi, io l'ho preso a male parole, stavo per picchiarlo, ma mi fermo in tempo, stupefatto. Eh sì, più di una notte sono tornato a Spanne dopo che l'ultima luce in quella casa si spegnava nella sola stanza ancora illuminata, soffocando in me quanto potevo soffocare dell'angoscia. Questo era il peggio, non Carlo Savio a Spanne, non Júlia che va via».

Il professore vorrebbe dire a Manca che capisce, lui, eccome. Ma torna al punto: «Con la guerra in Jugoslavia, sua moglie... insomma cos'ha fatto?».

Manca controlla il magnetofono, come cercandovi soccorso: «Dopo il Muro ho capito quanto Júlia era legata alla sua terra, come ne soffriva. Troppe cose sue non ho mai capito. Ma mettiamo le colpe sulle spalle giuste, le mie».

«Lei aveva i suoi guai», dice gentile la Florianic.

«Sì, crisi notturne di sudori freddi, soprassalti al risveglio, non riuscivo a lungo a ritrovarmi un nome, un luogo, un tempo. Esacerbavo quello stato, come certi feriti con le piaghe, in guerra. Ma non sono mai stato uno che scambia per mali dell'esercito le sue deficienze personali. Volevo smentire Carlo Savio che diceva che l'esercito italiano è come Napoli, dove sono impegnati tutti a non lasciarsi prendere per fessi, e il risultato è una totale fesseria. Ma non aveva ragione proprio Savio, quando mi rimproverava di prendere per durlindane i coltelli della Mensa Unificata, e che mi ero inventata una Júlia solo mia?».

«La sua perplessità è bella a paragone del cinismo di quel Savio», dice il professore, alla Florianic più che a Manca, e si assesta rumoroso sulla sedia, messo fuori centro dall'idea che non ci sia mai stata Júlia Kiss, la Júlia del tenente non più della sua Júlia, o della Júlia del dottor Pezzullo, la spia in gonnella, la Mata Hari di Vojvodina. Idea di pochi istanti: c'era una Júlia sua, del professore, che in un giorno d'aprile gli è apparsa così bella, questo è certo, per quanto sia precaria la bellezza. E anche il tenente c'è, bisognoso di senso, davanti a lui e alla Florianic che ora tace troppo.

«Chi è il perfetto militare, professore?», chiede Manca.

«Quello che non serve», dice la Florianic, in punta di sedia.

«Si dice anche del boia», rincara il professore.

«Lo sapevo anch'io», dice Manca. «Uno però rimette a fuoco proprio l'ovvio, quando si perde in un letto d'ospedale. Perciò vi domando se la fedeltà e l'onore sono solo scritti su muri e monumenti».

Lampis si assesta ancora sulla sedia, con l'imbarazzo del ricordo di un suo vecchio sarcasmo sulla fedeltà canina, a margine del primo manoscritto del tenente.

«Faccio certe domande. Non si possono fare. C'è sempre chi ne ride».

Lampis si assesta un'altra volta sulla sedia. Il vortice di consapevolezza del tenente scalza Lampis dal suo baricentro: «Senta Manca, l'ovvio, più è ovvio e più deve dormire nel profondo».

«E invece io, come una recluta imbranata, mi perdo a controllare i fondamenti, allacciare le stringhe degli anfibi in dormiveglia, smontare e rimontare il fucile a occhi chiusi...».

«Ecco, sì, un patrimonio ovvio, sempre disponibile».

«Noi lo chiamiamo addestramento».

«Una seconda natura che permette gli ardimenti di buttarsi contro natura a capofitto col paracadute».

Lampis vorrebbe dire altro sul felice oblio dell'ovvio, per puntellare le incertezze del tenente, che troppe cose ha preso per moneta solida, anche quando il suo impegno è stato compensato con denaro falso. La Florianic non collabora. Ma un ospedale è un porto di mare, non un seminario all'università. Infatti un vecchio in uniforme ospedaliera senza una parola si avvicina al letto del tenente, dopo un inchino doppio ai due visitatori, saluta il malato con un tocco al braccio, rimette a posto certe cose, lo risaluta con un cenno di carezza, rifà un inchino singolo alla Florianic, un altro al professore e se ne va senza parlare.

«Bisogna andare, anche noi due?», chiede Lampis.

«Professore», fa timido il tenente, «non mi ha ancora detto se mi dà la tesi di laurea».

«Guarisca. Non stringa troppo i denti, però tenga duro. Si vedrà».

Ma poi torna indietro dalla porta: «La tesi lei ce l'ha, e ci potrà fare tutti quanti i suoi conti: col passato, col presente e col futuro».

«La resa dei conti col passato comporta che ricordi», aggiunge in corridoio alla Florianic, «che rinunci alla risorsa dell'oblio. Ma voi due, prima, cosa vi siete detti?».

«L'ho ascoltato, ha così tanta voglia di parlare. È come se si fosse aperto all'evidenza dei fatti. E sa una cosa? Manca parla come lei».

«Succede ai buoni maestri», scherza lui. «E di cosa ha parlato?».

«Sì, Manca la imita, ed è stupefacente. Con me ha parlato solo di una cosa, ma mica da poco: come si sente un buon soldato e cosa fa quando scopre che al mondo c'è più senso e verità nel groviglio che nell'ordine, a cominciare dall'ordine chiuso in piazza d'armi?».

Nel corridoio d'ospedale si fa avanti un tale, in borghese che però sembra in uniforme da parata, avanza disdegnoso come l'angelo dantesco che s'inoltra nei miasmi della Città di Dite. Davanti alla stanza del tenente provoca il saluto rumoroso dei due angeli custodi, lui fa un saluto rapido e poi entra nella stanza, sì, da Manca. Lampis vuole andargli dietro: «Dev'essere quel Savio», dice fuori di sé, «sì, è lui. Non c'è da fidarsi». La Florianic lo trattiene, a stento. «E quello lì io lo conosco. Sì, io quello lo conosco. Mi devo ricordare come e quando. E perché lo conosco». Lampis è un leone in gabbia, lì nel corridoio, cerca di sbirciare dentro la stanza di Manca. Finché non Lampis, ma la Florianic si ricorda, e ricorda anche lui quando lei glielo dice, che quel tipo bellico in borghese, che adesso sta dentro da Manca, è uno che a suo tempo, prima della caduta del Muro, aveva

chiesto anche lui una tesi di laurea al professore.
«Mi pare di ricordare. Com'è finita?».
«Lei, professore, l'ha dirottato al collega Bottiglia.
Quello voleva un argomento di confinistica. Sì,
Savio, si chiama Savio, come il santo».
«Se quello è il Savio», sibila Lampis, «quello con
Manca, dentro la stanza, è pericoloso. Quello sa
il fatto suo, ma lo sa a modo suo. Quello mica si
è laureato in filosofia, per capire il mondo e capir-
si, come Manca, ma in geopolitica, anzi in confinistica carsica e balcanica da guerra fredda e calda. Lui è laureato, il Savio, mentre Manca ha aspettato fino adesso che noi, che io gli leggessi quel
suo manoscritto preliminare alla tesi di laurea, accidenti a me! E magari Savio è venuto per la tesi
dopo di Manca».
«Sì, dopo. E lei era presidente della commissio-
ne di laurea, e gliel'ha detta lei solennemente la
formula di laurea: *Carlo Savio, in nome del popolo italiano la dichiaro e proclamo dottore…*».
Lampis fa smorfie di disgusto e di minaccia, con
la lingua tra i denti lancia sguardi verso Savio, e
dice sicuro: «Se quello è il Capitan Dottor Carlo
Savio, e lo è di sicuro, perché lei ha ottima memoria, signorina, allora qualche altra cosa torna, non
solo nel Carso Triestino, ma in tutti i Carsi, di qua

e di là della Soglia di Gorizia. E anche in Sardegna, perché il mondo è piccolo: Capo Marrargiu mi torna, e anche Torre Poglina, perché adesso ricordo: ricordo che quel Savio lì anni fa io l'ho rivisto in Sardegna, quando ci ho fatto un corso breve sulle genti balcaniche e carpatiche oltre la Cortina di Ferro, insieme con il nostro collega Santini, con Bottiglia di Leida, che adesso un po' anche lui secondo me se la fa con quel Sekula delle discariche abusive del Carso».

La Florianic fa fatica a trascinarlo via. Ma sulle scale lui si ricompone, e alla Florianic assicura che in questa storia dove tutto e tutti risultano sfuocati, imprecisi, lui però questo Savio lo inquadra molto bene: «E se lo metto a fuoco vedo che cos'è».

«Che cos'è?».

«Il cattivo, ecco che cos'è, Savio è il cattivo della storia».

4

Un'ora dopo un agitato Lampis, sganciata la Florianic, fuori orario visite è di nuovo da Manca. Gli hanno concesso tre minuti, non uno di più.
«Chi era quello?», chiede subito a Manca.
«Chi?».
«Quel tale, quel militare in borghese, chi era?».
«Il mio cappellone Carlo Savio».
«E... le ha fatto del male?».
Che domanda. Ma ormai l'ha fatta. Manca è sorpreso: «Savio mi ha detto l'ultima, sull'incidente in polveriera: secondo i periti, c'è la mano di un esperto, di un esperto in balistica, di missili».
«Che gentile, a venire a informarla».
«Sarò stato io, allora, a lanciare quel missile depotenziato, da esercitazione, contro me stesso e contro un Ape Car?».
«Muoia Sansone e tutti i filistei? Non scherziamo. Certo però che anche lei la sua Dalila crudele...», ma si ferma, non proprio in tempo.

«Se questo scoppio fosse opera mia», prosegue Manca, trasognato, «io ci trovo un senso. Sì, un senso, più della psichiatra che mi sonda, curiosa dei miei sogni, della mia amnesia, di mia madre morta e di mia moglie fuggitiva, e non le importa un ficosecco della vita militare. Ma resto un militare, io, un uomo d'azione. E anche se a suo tempo non ho scelto il Genio Guastatori, la critica demolitrice non potevo farla solo in testa. La demolizione è cosa militare, a rischio di riuscire l'ultima, per l'incursore. Non mi guardi in quel modo, professore. O è meglio pensare che ho rischiato di morire... sì, del tutto passivo, come un pesce che annega nell'acqua, nel suo elemento naturale: soldato in polveriera, preso da fuoco amico?».

«Sì, Savio le ha fatto del male, anche poco fa».

«No, sono io che non sopporto più la mia innocenza. Mi voglio alleggerire di tutta questa inutile innocenza».

Infelice sì, ma non alla maniera dei mediocri, il tenente Manca, che dice e spiega che lui, nella quiete sospesa dell'ospedale, ha capito una cosa, tra le altre, finalmente: «Professore, non rida se sospetto che una speciale polizia ci tiene d'occhio, vigila sui cuori e sui cervelli, sui nostri desideri, bandisce quelli veri e più profondi con lo scherno. Chi è che nell'ombra ci regola la vita?».

«Be'», esita Lampis, «nel suo caso è quel solenne ufficiale dei carabinieri incorporato sull'attenti in fascia azzurra», e non ride. «Però mi scusi, Manca, mi tolga una curiosità. Li ha letti qualcun altro i suoi manoscritti?».

«Carlo Savio».

«Ancora lui, perché proprio lui?».

«Solo il primo quaderno. Ma prima, prima che Júlia mi lasciasse», e mormora qualcosa, ma il viso gli si disfa in una smorfia, gli occhi chiedono aiuto. Il professore scatta in piedi, in panico scomposto. Ma già il tenente preme il pulsante del soccorso paramedico. Poi a poco a poco il dolore muto sul suo viso si allenta in una placida stanchezza: «Poco fa mi hanno tolto certi antidolorifici dosati da un computer, quello lì», spiega il tenente mostrandogli un aggeggio appeso al capezzale.

E arriva un'infermiera, suora, tutta bianca, i piedi in due monumentali zoccoloni e in testa un cappellone, efficiente, impassibile, dopo alcune esatte e silenziose operazioni punta due occhi di rimprovero su Lampis, dall'alto di quel suo catamarano ospedaliero: un po' di discrezione, per favore, dicono gli occhi meglio di ogni voce, che però dice: «Il cuore è eccezionale. Ma se sapesse cosa sta passando, le verrebbero i capelli bianchi».

Il professore si fa allegro per il cuore del tenente, e anche per la fortuna dei suoi capelli, ancora tutti neri.

Andata via la suora zoccolona, Manca si mostra in forma: «Non ci badi. Queste suore antiche ci guardano dall'alto in basso, noi dell'artiglieria, perché loro sono dell'aeronautica, per via del cappellone ad aeroplano».

Lampis ride un po', dal naso.

«A proposito di aerei, di cuore, di fegato e di addestramento che ci fa capaci di lanciarci col paracadute, senta, professore, se ha tempo mi è tornato un ricordo. Forse è importante».

I piantoni sonnecchiano. Il silenzio ronza. Nessuno bada a quel visitatore fuori tempo. Manca accende il registratore, se lo poggia al petto, a pochi centimetri dalle loro teste. E parte.

Gabbiani sul Carso si chiama l'esercitazione, in faccia agli jugoslavi in gran subbuglio: attenti che ci siamo anche noi e c'è la NATO, qui sul Carso. Ali e bagagli vengono da Pisa, Folgore. Stanno per decollare verso il cielo del Carso, Manca con altri trenta, in questa cosa nuova detta esercitazione-ammonizione. Come adesso Manca nel letto d'ospedale, hanno l'imbracatura che registra il cuore. Tutti in fila imbragati al portellone di un Hercules C-130, tintinnanti a ogni mossa nella loro complicata bardatura. E finalmente l'ordine: decollo! Un soldato sviene ed è portato via. «I convogli vanno alla velocità del carro più lento», gli dice dietro Savio, che la paura fa didattico, e pure logorroico. «La forza di una catena è nell'anello debole».

Montare, allacciare. Cuore in gola. Che non ti dia alla testa, il cuore. Chiudere il portellone a scivolo. Nel ventre dell'aereo come pacchi. Ecco come ci unisce la paura. Inizio del rullaggio. Accelerazione mai sentita. Il cuore che scoppia se non scoppia prima uno dei quattro motori Rolls-Royce dell'aereo da trasporto che romba assordante tra sobbalzi e scricchiolii. «Levate!», grida finalmente il maresciallo Ciavarella. Via la cintura di sicurezza. Attesa, nel rombo e nel silenzio. «In piedi!», grida il maresciallo Ciavarella. Staccarsi dal seggiolino, tenersi al passamano lungo la fusoliera. «Agganciate!», urla il maresciallo Ciavarella. «Ordine, precisione, che mi sembrate gli orfanelli al funerale», brontola il maresciallo Ciavarella. Mani frenetiche agganciano il moschettone attaccato alla fune di vincolo. La botola si apre sul vento e sulla nebbia gelida e violenta che ti buca la pelle. Luce verde: «Fuori!», grida furibondo il maresciallo Ciavarella. Battere i piedi sul pavimento della fusoliera. «Ho ancora forza?», si chiede il prode Anselmo. Solo ancora tre uomini davanti a lui: due, uno e la botola aperta sul vento e sul bianco delle nuvole. «Apri le ali e vola, Anselmo, *pro fortza o pro terrore!*», dice con l'inno sardo, e si lancia nel nulla, *come folgore dal cielo e come nembo di tempesta*. Dio mio questo tuffarsi dentro un fiume secco e turbolento. La terra si leva per aria e poi ricade. Bisogna contare in attesa di salvezza. Perché per un istante non si ferma l'azione della gravità che scaraventa a terra? Perché non si è gabbiani veramente? E questo è uno strattone? Eccone un altro e un altro ancora. Alza gli occhi al cielo e vede le ali di gabbiano salvatrici, ampie nel grande stormo! Dal petto gli esce un urlo animalesco, e un urlo simile già gli risponde sopra, perché anche Savio che lo segue scarica così nel cielo la tensione. Istanti di gioia sovrumana, poi la paura retrospettiva: e se non si fosse aperto il paracadute, a lui che raramente è riuscito ad aprire quello di emergenza? Tutto sembra eterno, ma non dura. Un altro strappo: Savio si sta impigliando nel paracadute di Manca, stanno precipitando come sassi, le ali mozze, sugli alberi del Carso. Frenetico lavoro di bretelle, Manca riesce a staccarsi, a scansare l'albero di pochi centimetri, ad atterrare con capriola all'indietro e ad attutire a Savio un atterraggio altrimenti rovinoso: però il paracadute gli fa vela e si trascina Savio a schiena sotto contro il suolo, finché Manca non riesce a sganciare i suoi bullshots. Meno male. La calma intorno è immensa, il mondo ti riaccetta, sul ciglione del Carso. «Mi hai salvato la vita», dice Savio senza fiato.

«Per salvare la mia», precisa Manca.

Siamo appesi a un filo, tutti, riflette Anselmo la sera, fumando davanti al panorama da Vedetta Alice. L'apparecchio cardiaco ha segnato tutto ok: «Bravo, sei di buona razza», gli ha appena detto il capitano medico.

«Come quell'altro capitano al Tamburino Sardo», gli fa ora il professore, in una pausa, che dura. Manca spegne. E sospira: «Solo che poi qualcosa mi si è rotto dentro. Forse il dover essere del Kant del mio liceo. E adesso eccomi qui, rimuginando cose mai pensate chiare. Il buon soldato non si fida dei pensieri in proprio. Ma mi scusi, lei sospetta del mio cappellone Carlo Savio?».

«Lei no, tenente?».

«Non lo direi sospetto, ciò che sento per lui».

Già, vorrebbe dirgli Lampis, ma non sarei così sicuro che dietro le finestre di casa di Júlia andasse in scena una storia che per lui, Manca, era sì un dramma della gelosia, ma forse anche altro. E dice a voce alta: «Tutt'e due, Júlia e Savio, a modo loro hanno a che fare con le guerre jugoslave, in fondo».

«Se questo è un sollievo... Ma lei sospetterebbe di uno a cui ha salvato la vita?».

«Mai avuto questa fortuna in vita mia. Però sospetterei lo stesso, in questo caso. Ci penserò».

«Anch'io. Anche al suo sospetto. Mi lascia ancora il registratore? Sa, nel caso».

Lampis toglie e mette in tasca la cassetta piena, e glielo posa sul comodino con dentro una cassetta nuova: «Per i pensieri in proprio». Poi circospetto fa gesti di saluto. Anche perché deve andare dal dentista, per un'estrazione: «Siccome tutti siamo nati per soffrire».

5

Lampis regge l'estrazione con i complimenti del
dentista. Pensando al tenente, il suo male è mezzo gaudio. Poi va al Parenzo, ma così, tanto non
può masticare.
Al Parenzo stasera c'è il Violinista, quello del
Santo Graal, della prima allusione alla discarica
di Repen e al Cocàl.
Lampis si siede vicino a lui, gli fa la corte, getta
esche giù in discarica, sul Cocàl, su Savio, persino sul Sekula, perché, dice, nella discarica di
Repen si annodano i fili forse intorno a tutti e tre,
se non quattro: Savio si serviva di Júlia che si serviva di Savio che si serviva di Manca a sua insaputa... Il Violinista se lo guarda astratto, di poche
parole e di molti bocconi. Lampis insiste.
Il Violinista si fa serio: «Vede, io... insomma, El
Cocàl mi comprava tutto...», e finalmente gli
confida tra un boccone e l'altro che al Cocàl ha
continuato a svendere i resti della sua agiatezza,
ceneri della sua gloria musicale. E fa una risata tem-

pestosa, mostrando i denti gialli: «Non gli vendevo stradivari, io, al Cocàl, robivecchi e compro-tutto, però trafficava pure in cose rare, di valore. Vantava conoscenze altolocate».

«Per esempio?».

Il Violinista fa nomi importanti. E ai nomi importanti Lampis aggiunge Savio, figlio di una famosa poetessa, pronipote di san Domenico Savio, e infine il Sekula. Il Violinista sbotta, scartando il Savio mai sentito: «Ma quell'altro, il Sekula, il povero Cocàl me ne parlava tanto, come di un suo dio personale».

«Personale?».

«Un dio che gli dava confidenza, e lui lo serviva». Non gli cava altro. Ma gli basta.

Lampis infine dice a Trau: «Allora, si fa in settimana, magari domani».

«Ok, appuntamento a Monrupino. Per le attrezzature ci ho pensato io anche per lei. Di scarpe e anche del resto siamo pari, taglia sarda. L'ho già qui, dopo le do tutto. Professo', qualcosa per i suoi denti, un gelato *Cool Humour*».

Lampis lo ingolla doppio, con frenesia. Aveva fame. Poi, a ogni buon conto, dice, paga i pasti che di solito salda a fine mese. Si fa rispiegare tutto quanto: tuta, casco, funi, scala di corda, verricello, scarpe anfibie, lampada tascabile e altri ordigni, mentre caricano tutto nel cofano angusto della sua YIO.

E torna a casa. Anzi ci si chiude: «Nemmeno la casa mi mette al sicuro», gli è sfuggito ieri con la Florianic. Chiude a chiave il portone, quattro rampe di scale, i gesti del rientro, un colpo più forte del solito alla porta, per sentirne la consistenza alle sue spalle. Tutto per quel sospetto di pedinamento. Poi luci accese e spente, forse dalla finestra un occhio sulla strada, all'Agenzia La Pace, alla Libreria Esoterica Nosferatu, al Minisupermarket quadricromico di luci, alla sua YIO là di sotto accosto al marciapiede di fronte.
Cede a un calmante, a letto, quasi appisolato, poi già nel sogno antico di non riuscire a laurearsi per le difficoltà di scrivere la tesi, il telefono squilla: la Florianic, perentoria per non rivelarsi preoccupata: «Che nuove del pedinamento?».
«Ah no, sa, ho preso un granchio. Era solo un rumeno trafficone, Sorin Balogh, l'ho conosciuto sui Carpazi tempo fa. Vende icone su vetro. Valgono meno di un alveare di stoppie dei Carpazi».
E ride. Però mente, ha tono e modi di quando

simula, decide la Florianic, anche perché quel Sorin Balogh lui lo doveva intervistare giorni fa, quando si è messo in tasca il magnetofono da campo, che poi ha lasciato a Manca in ospedale. «Professore, si sente in pericolo?».

«Non esageriamo». Però c'è stata esitazione. E dice in contrattacco: «Quel Savio, all'accademia studia già da generale, fa le corna a Manca e lo tradisce col dottor Pezzullo. Continuo a chiedermi: si conoscevano, il Cocàl e il Savio? Intanto mi tocca difendere il tenente dai morsi della serpe che mi allevo in seno».

«Lei è il solo uomo che può farmi la morale senza farmi ridere». E lo rimette in guardia dai pericoli del Carso. Lui l'ascolta con un solo orecchio, sbadigliando. Non ha forse neanche chiuso il telefono, mentre la dottoressa Florianic gli parla di buche, di ambulacri, di pozzi e inghiottitoi della discarica di Repen, che già lui sta per buttarsi col paracadute, giù nello sprofondo, gabbiano sul Carso, agli ordini del maresciallo Ciavarella: «In piedi!», grida Ciavarella. «Su il culo dal seggiolino, tenersi al passamano... agganciare!», urla il maresciallo. Le mani frenetiche di Lampis cercano il moschettone, battendo i piedi. Si apre l'inghiottitoio sull'abisso gelido. Un urlo più rabbioso e poi la spinta: «Sotto, fuori!», grida furibondo il maresciallo Ciavarella.

Lampis salta nel vuoto.

Ahi quante volte ha temuto uno sprofondamento, sconfinando in giù! Lampis per aria tenta di nuotare a rana, a stile libero, a farfalla, ma plana solenne alla gabbiana verso il fondo impervio di un antro, castello dei Carpazi dove s'impiglia col paracadute a tre decimetri dal suolo, appeso come una salsiccia giù in cantina: o è la Casa dell'Orco dell'infanzia a Fraus, silente cavità piena di brividi, senza più cielo da vedere, senza più terra da calcare? Ma gli sono già intorno a liberarlo la Florianic in costume zingaro col cameriere Trau in tenuta da speleologo. Lampis si sente leggero, mentre la Florianic gli mostra su un ciglio di roccia sopra uno sprofondo, chi? Il prode Anselmo che marcia impettito armato fino ai denti, perimetrando limiti e confini, dentro una corazza medievale, con un elmo di Scipio così ermetico da farlo cieco e sordo a quanto gli succede attorno. «Manca ha il viso dell'armi», dice la Florianic, «come farà a fumare dietro la celata?». «Ma è vero che ci ha l'alibi», grida il cameriere Trau. Un uomo in baffi zingari s'informa dalla Florianic se a Trieste ci sono ancora più semafori che zingari, mentre un Tamburino Sardo col suo rullo di tamburo guida la sconfinata turba degli sconfinati, una fila da giorno del giudizio, sciame sotterraneo di api profughe che sbucano da cento e più cunicoli e convergono in quel punto, parenti dei fantasmi: si ammucchiano brusii, corpi piagati pieni di speranza, bambini che non hanno mai sorriso, figli di un'ansia nuova. E il tenente li ferma, li scorta in direzione opposta, e anche il figlio di Lampis è con lui in divisa, Bruno Lampis armato di consigli, li scortano agli antipodi selvaggi, là nell'Est. Il dottor Pezzullo prende appunti su un taccuino con matita a gomma in coda, il tenente Savio gli sussurra in un orecchio chissà cosa. Un pastore rumeno in cioce munteane si avvicina querulo per vendere una enorme icona colorata di Ceausescu nei panni del Cristo Pantocratore, mentre la turba sembra non finire, è un fiume sotterraneo, dove il fratello comunista di Manca in eskimo sessantottino se li arringa tutti, gridando in piedi su un'enorme stalagmite: «Tornate a casa, compagni e compagne! Qui vi prendono, vi storpiano, vi umiliano! La vostra stessa anima è in pericolo, l'annegherete in whisky e Coca-Cola». Passano migranti, disertori, prigionieri, reduci di molti fronti e di ogni banda armata: morlacchi, cicci, ciribiri, uscocchi, valacchi, ceceni, triballi, sècheli, curdi, turchi, albanesi, bosniaci, kosovari, serbi, croati, sloveni... stanchi o baldanzosi avanzano ballando la Danza delle Spade di Caciaturian, senza capo né coda scendono e risalgono nel Carso sottosopra. Ed eccolo, lo zingaro, El Cocàl, il Mercoledì delle Ceneri. «Che c'è di strano, se un morto è sottoterra?», dice la Florianic, in vesti zingare però Grillo Parlante. Lontano nelle viscere del Carso il Comandante Pipì dalla finestra osserva giù El Cocàl con la cenere in testa che sonda e scava il sottosuolo a mani nude, con le zampe artigliate, perché è proprio un gabbiano, un gabbiano carsico di mare, di terra e sottoterra. «Cosa cerca il Cocàl?», domanda Trau. «Recupera armamenti trafugati», dice il dottor Pezzullo. Nello scavo aiuta il Violinista-Parsifal con una lancia nera del Giardino Pubblico, e infilza scheletri spolpati di morti infoibati. Un cane giocoliere con le zampe anteriori tiene un cranio, l'offre a Parsifal che lo solleva sulla punta della lancia, lo mostra in giro e Lampis ci si riconosce: quello è proprio il suo teschio, non della Libreria Esoterica Nosferatu, no, è Silverio Lampis senza più il peso della carne e delle corna, lo vedete tutti, il mio teschio le corna non le ha: Lampis ride e piange di felicità per essere sfuggito alla morte rosa confetto dell'Agenzia La Pace, ma qualcuno grida: «Júlia, dov'è Júlia l'eroina di Vojvodina?», e già la tromba squilla dai cavi penetrali, l'ufficiale dei carabinieri in stivaloni equestri e fascia azzurra scatta sull'attenti a suon di sproni... e Lampis è svegliato da un telefono furente: «Pronto!».

È il Grillo Parlante, lei, la Florianic: «Ma è sveglio, professore?».

«Mica tanto. Che c'è?», chiede dal fondo del suo sogno.

«C'è che vorrei... Mi sente? Stia a sentire, mi dica meglio del pedinamento».

«Ah no, era solo un pataccaro balcanico, gliel'ho già detto».

«Lei non mi dice tutto. Lei simula, professore».

«Sarà. Ma è una simulazione sincera».

«Non se la caverà con quegli ossimori tortuosi».

«Che dovrei dirle? Che sono pedinato da dubbi, ignoranze e sospetti? Che ci siamo cacciati in un mistero italico banale, ed ecco intorno a noi i fantasmi più triti della dietrologia, della sprofondologia e anche della sua ziganologia?».

«A ciascuno i fantasmi che si merita. I miei lei non li merita».

«Darò corpo a fantasmi che mi merito, a Savio, a Sekula e a tutti i loro manutengoli nell'esercito, nella NATO, in Slovenia, nelle amministrazioni locali, fino a Roma e a Bruxelles».

«Savio è un pesce in barile, lo sa persino Manca».

«Savio sa di Manca ciò che Manca non saprà mai nemmeno di se stesso. Ma io voglio sapere».

«Adeschi Savio con il fascino del dubbio. Se ne faccia un pentito».

«Userò tutte le armi, comprese le sue presunzioni di superiorità».

«Superiorità fisica magari sì, nei confronti di lei, professore. Verso Manca poi Savio vanta altre superiorità».

«Non superiorità morale. Io do poco credito all'idea di complotti spionistici, ma giurerei che Savio presume di se stesso. Sembra una sciocchezza eppure conta persino che in questa Italia sgangherata qualsiasi italiano, e figurarsi un piemontese, per atavica abitudine si sente più furbo di un sardo, ma meno coraggioso di lui. Sì, lo adescherò, anche sfruttando pregiudizi scemi come questo, e se ho ragione io, Savio paga care anche queste vecchie fesserie».

E poi si lascia andare a raccontarle il sogno da cui la Florianic l'ha svegliato, che lo tiene ancora. Lì per lì, lei si diverte, specie di come ci compare lei, Grillo Parlante, zingara: «Davvero, non mi dica». Ma poi si spaventa. Per lei quel sogno sgangherato ha senso più che per il professore. Ne trae anche presagi, femminili. E lo rimette in guardia contro la discarica di Repen. E contro il capitano Savio.

6

La mattina dopo, Lampis si scioglie dal sonno con la solita fatica, seguita dal fastidio di una colpa, da un presagio infausto, da minacce. Dopo sguardi tristi all'Agenzia La Pace, che una lama di luce mattiniera fa più rosa, alle dieci è di nuovo all'ospedale.

C'è ressa in corridoio, dove il tenente sta di stanza, e troppe facce cupe. Frugando tra quei visi Lampis vede uscire dalla stanza del tenente il dottor Pezzullo, cravatta fuori posto, tutto quanto lui stesso fuori dai gangheri, in mano un minuscolo registratore, quello di Lampis: «Se n'è andato», dice il magistrato, cupo, e non proprio a Lampis.

«Scaricato? Me lo lasci un po', del resto è mio», e tende le mani.

«È lui che se n'è andato, il tenente Manca».

«Dove?».

«Morto, ci ha lasciato, stanotte», sbotta il dottor Pezzullo trattenendo il magnetofono con tenacia infantile.

«Chi è stato?».

Il dottor Pezzullo fa dondolare il pugno con le dita a mazzo: che domanda! E dice: «Collasso improvviso e silenzioso, secondo questi qui», e fa un cenno largo al reparto d'ospedale. È un dottor Pezzullo indaffarato. Lampis fa gesti istrionici, bisticcia con un tale, dell'Agenzia La Pace, che offre i suoi servigi per il morto.

Poi rifà la posta al magistrato e lo scongiura di un colloquio a due.

«A due col morto», dice Pezzullo duro.

Lampis saluta il dottor Manca, fratello del morto: «Piacere, sebbene qui così».

«Professore, io devo ringraziarla di quanto ha fatto per Anselmo».

«Per quello ch'è servito! Ma si può morire così?».

«Meglio la tomba che Gaeta, mi ha detto ieri sera mio fratello».

Lampis lo fissa, questo dottor Manca, il doppio del fratello, che guarda lui come invitandolo a un dovere: il dovere che certi non sanno togliersi di dosso, come un'eredità genetica. Finché anche il fratello del morto è reclamato altrove.

Il professore punta di nuovo il magistrato: «Non

mi tratti come un intruso: sono il suo tutore accademico».

«Il tutore accademico di un morto», insiste il dottor Pezzullo.

Ma Lampis ha un'idea. Rincorre il fratello, il grosso dottor Manca, lo raggiunge, se lo tira a parte, frugando nella borsa: «Ecco, vede, questi sono quaderni scritti da suo fratello. Li deve avere lei, almeno in copia. Gliela faccio, cerchiamoci fra un paio d'ore, e li avrà».

Pezzullo cede. Si fa prestare uno stanzino d'ospedale. Ci si apparta con Lampis.

«Eccoci qua, per un minuto o due», l'uno di fronte all'altro a un tavolo di plastica marrone nel biancore ospedaliero.

«A tempo già scaduto», dice Lampis, stretto in gola, le lacrime sull'orlo delle palpebre. «Com'è che è morto?».

«Siamo qui per capirlo».

«Lei ci crede al collasso improvviso e silenzioso?».

«Io non credo, constato».

«E ha constatato abbastanza?».

«Gli stanno per fare l'autopsia, qui stesso». Attimi freddi di silenzio. «Il tenente aveva predisposto il trapianto di ogni parte buona del suo corpo. Era ben vivo alla vigilia della morte».

«Lapalissiano, ma è un buon epitaffio sulla tomba del tenente. Me lo ridà un momento, il mio registratore?».

Pezzullo fa una faccia strana, ma si alza: «Va bene, torno subito», e lascia Lampis sotto un tubo al neon che borbotta a intermittenza illuminando aggeggi da veglia infermieristica: tivù, stereo, fumetti porno, caffettiera, forno a microonde.

Pezzullo torna col reperto già classificato. Lampis lo prende con avidità. Ne riavvolge il nastro: «Qui ci dev'essere qualcosa, sì, ci scommetto», dice riavviando l'apparecchio che fa tonfi, soffi, scricchiolii. Sta per rinunciare. Ma ecco la voce del tenente, calma, sorvegliata.

Adesso so, mi è stato fatto un torto, un'ingiustizia indecifrabile. Me ne sento vittima e colpevole. Júlia, e la mia polveriera: nella mia memoria stanno insieme. Perché? La mia polveriera, io stesso l'avrei presa a cannonate.

«E lui l'avrebbe fatto bene», dice Lampis.

Qualcosa era successo. Ci avevo concentrato la mia delusione, come su Júlia. All'una e all'altra è subentrato Carlo Savio. Sì, qualcosa era successo.

Il magistrato ha un moto di concentrazione.

Un grave ammanco in missili. Un intero sistema d'arma pesante. E centotrenta chili di tritolo. Spariti. Ecco, questo lo ricordo. E mi rivedo in polveriera, sono lì per questo, e in polveriera mi ha chiesto di venire Carlo Savio. Sono lì, e il telefono squilla. È Carlo Savio: «Corri al passo carraio». Corro al passo carraio. E lì mi chiama ancora il gracidio di una radio portatile da campo: stacco, rispondo e niente... un niente che scoppia, scoppia, scoppia nella mia testa... fino al risveglio in questo luogo... a ricordare che mi devo ricordare.

«Senza più l'elmo di Scipio», Lampis sospira per se stesso.

Ecco, uno scoppio c'è nei miei ricordi. Uno scoppio di senso, professore. Ma se volevo eliminarmi, fallivo dove riesce anche una recluta alle prime armi? No. Dovrò passare il tempo che mi resta deridendo ciò che ho creduto, senza credere nemmeno in qualcuna delle cose che finora deridevo? E poi ho molte colpe, colpe anche che non so di avere. E non potrò più perdermi di vista. Ma si sopporta di vedersi come si è realmente, si può farlo a lungo e sopravvivere?

Silenzio: del morto e dei due vivi. Troppo definitivo, e fa male: «L'ultimo dei suoi dilemmi», mormora infine Lampis.

Stanno per spegnere il registratore, ma si fa udire ancora quella voce, dopo un paio di schiocchi, più fioca, incerta: *Professore, che fine facevano i tamburini? In vista dello scontro, i tamburini che marciavano rullando alla testa delle schiere ricevevano l'ordine di mettersi al riparo, in ordine sparso. La prima linea continuava ad avanzare, il rullo dei tamburi si spegneva, ed ecco le trombe, poi l'artiglieria, la fucileria, il corpo a corpo. Infine, i morti senza senso, da sgombrare.*

Poi più niente. Tutto il nastro scorre. Pezzullo tossicchia. Lampis si alza e dice: «Mi scusi, torno subito. Magari a lei serve riascoltarlo. Mi aspetti. Può restare?».

7

Di buon passo, indaffarato come uno che lì dentro ha il suo daffare, disinvolto Lampis tenta di arrivare al capezzale del tenente. Sono finiti i rilievi di prammatica. Qualcuno del personale ospedaliero e di polizia giudiziaria lo tratta come un cane in chiesa. «Sono il suo tutore accademico», ripete a destra e a manca. E lo lasciano un po' davanti al tenente, dietro un paravento, già santificato dalla morte. Raccolto in preghiera, si direbbe, il professore mormora qualcosa. Nessuno immagina che gli sta recitando la formula di laurea, quella di prammatica: «Anselmo Manca, in nome del Popolo Italiano, la dichiaro Dottore in Filosofia».

E torna dal dottor Pezzullo.
«È tutto un po' più chiaro, no?», fa Lampis, per saluto.
«Sì? Ma questa morte complica le cose».
«Complica e semplifica, come sempre la morte».

Lampis sente l'ovvio e l'eccessivo, si spiega senza generalizzare: «Perché qualcuno qui stanotte ha rifinito ciò che non gli era riuscito con lo scoppio in polveriera: ha messo a tacere un testimone, Manca, dopo avere fatto fuori un complice, lo zingaro».

«Erano due complici, per me, lo zingaro e il tenente».

Lampis prende il magistrato per un braccio: «E perché non complici Savio con lo zingaro? E Manca paravento involontario, poi pronto a rivelare tutto quanto? Rinunci alla sua idea, e capirà che Manca non ha mai capito, e che appena capisce scoppia tutto. Lui non sapeva, lui era altrove, forse fino alla fine, finché non ha intuito, o capito, o saputo, o constatato, confuso e spaventato. E non è che noi ci capiamo di più, io per primo, ma neanche lei ch'è pagato per capire. Ma un poco sì, capiamo. Per esempio, a me pare che Manca è stato ed è, da morto, un teste eliminato, ma pure un capro espiatorio, e anche uno specchietto per le allodole. Rinunci all'idea di Manca complice, chissà poi di che cosa, e vedrà come stanotte l'hanno fatto fuori di morte naturale, carico di ogni colpa».

Pezzullo rimane perplesso, fa spallucce.

«Stanotte non c'erano i soldati a bivaccare nella stanza accanto, mi hanno detto».

«Hanno chiesto di toglierli».

«Chi, perché?».

«L'ordine finale è venuto dal capitano Savio».

«Ecco, lo vede? Il cerino gli scottava già troppo nella mano».

«La decisione è dei colleghi della magistratura ordinaria. Non i soldati di leva ma i carabinieri hanno compiti di polizia militare».

«In caso di malati in coma, o reduci dal coma, anche un'omissione può essere un'arma assassina. E questo mio registratore, chi l'ha trovato?».

«Io, sotto il cuscino del morto, prima del collega della magistratura ordinaria».

«Ecco, Manca l'ha voluto salvare da qualcuno, l'ha nascosto».

Pezzullo lo fissa come se lo vedesse per la prima volta. Poi, già in corridoio, Lampis dice a bassa voce: «Venga giù al parcheggio, quando ha finito qui, che gliene faccio avere un'altra, di cassetta con registrazioni ospedaliere. Così non mi rimanda a casa i suoi carabinieri».

Pezzullo si aggiusta la cravatta, fa per parlare ma non dice nulla. Si guarda la punta delle scarpe, con le mani in tasca, zitto, anche un po' seccato, ma soprattutto rassegnato, con tutto quanto il corpo e coi vestiti sopra, rassegnati: «Professore, io mi attengo ai fatti, non alla personalità di chi è implicato. Questo lo fanno i cattivi avvocati. Lei m'invitava a questo, per salvarlo da me».

«È lei che mi ha sequestrato i manoscritti».

«Ma non per ricavarne uno scampolo dell'anima del Manca. Lei sì, voleva questo. Come un cattivo avvocato. L'alibi, diceva, questo è il suo alibi migliore. E se mi avesse spinto a giudicare il Manca dai suoi manoscritti per trovarlo in genere colpevole e meschino?».

Lampis leva le mani nella resa: «Il nostro dialogo ha sofferto di una divergenza d'interessi. Ma l'alibi, l'altrove dov'è adesso il povero Anselmo non libera anche lei dagli obblighi del suo ufficio?».

«Rispetto al morto sì».

«Allora posso dare a suo fratello copia degli scritti del tenente».

Un attimo di perplessità, una spallucciata, e Pezzullo annuisce.

8

Al parcheggio in ospedale, molto dopo, Pezzullo senza salutare informa Lampis: «Dall'autopsia risulta morte naturale».

«Niente è più naturale della morte», brontola Lampis.

«L'ho sentito dire. Però sembra deluso».

«Deluso, sì. Questa morte, naturale, è anche progetto umano, criminale. Mi permette di esserne convinto, di farla dubitare? Anche lì», e Lampis accenna alla cassetta che Pezzullo tiene in mano, «secondo me Manca ce lo fa pensare».

«Ho cercato anch'io di farlo parlar chiaro, povero Manca, di farlo cantare».

«Più che un assolo fa un duetto, lì, con me. E se c'è chi stona, sono io. Lui dice la sua verità, tutta la verità, nient'altro che la verità».

«Se ha ragione lei, professore, Savio sarebbe il primo che in questa storia dice la verità. Ma non potevo credergli».

«E cioè? Può dirmi?».

Pezzullo traccia in aria linee sghembe con le mani: «Se c'è un abbottonato, qui, non sono io. Ho appena saputo che l'accusa serba alla moglie, alla vedova del Manca, è che lei militava in un gruppo antiserbo, col parroco del suo paese e certi suoi contatti qui da noi. E la Serbia è in guerra».

«Ma questa è un'accusa che nobilita. Ciò che per i serbi è tradimento, ed è traffico illegale qui da noi, è patriottismo per i magiari di Vojvodina. Che combinazione: il patriottismo italico alla Manca, sopravvissuto alle sbornie del Ventennio, si è unito male al patriottismo in armi dei balcanici. Ma la ringrazio di non avere detto a Manca di sua moglie in carcere laggiù. Perché non gliel'ha detto?».

Pezzullo intasca la cassetta: «Forse era meglio dirglielo, di sua moglie. Ma questo lo sa lei meglio di me, che sa i disagi dei magiari in una terra in condominio con i serbi. Comunque, non le pare che là non servano armamenti trafugati dalle nostre installazioni militari del Triveneto?».

«Pare anche a me. Soprattutto pareva».

«Oggi le pare meno? Ho dubbi anch'io. Nel Triveneto c'era e c'è la NATO».

«Li coltivi. Non c'è che soffocarli, i dubbi, per sentirli scomodi».

«Semmai è la nostra malavita che di là, a Est, si rifornisce di armi belliche dell'ex Patto di Varsavia. Col credito che dà il megafono dei media».

«Che non semina dubbi, ma certezze».

«E c'è anche chi rimuove e insegretisce».

«Rimuove e...?».

«... e insegretisce».

«Bella parola, *insegretisce*. E magari insegretisce anche a sua insaputa, per bisogno implicito».

«Com'è successo a Manca, con la sua amnesia?».

«E anche a qualcun altro, per farla franca».

«Chi? Professore, chi sta accusando, adesso?».

«Nessuno, o molti, troppi. Di questi tempi, specie da queste parti, chiunque si può ritrovare a fare i conti con i segreti più segreti dei servizi segreti, che non sanno più con chi e per cosa devono essere segreti, o sbaglio? Figurarsi nell'esercito italiano, da riorientare e rischierare in ambito NATO contro un plausibile nemico, dopo il crollo del Muro e altri crolli, con dentro i Carlo Savio. O ragiono male, con manie complottiste?».

«Perché Carlo Savio, professore?».

«Perché metteva le corna al suo commilitone Manca, e questo è già un complotto, a modo suo, di tresca, ma Savio in questa storia non fa solo quello. A parte i maneggi più o meno ufficiali del-

345

l'Italia ufficiale a favore del nazionalismo croato, poniamo che Savio fosse in combutta segretissima con la moglie di Manca, magari anche col parroco di Radót e chissà con quanti e quali altri magiari di Vojvodina, già più che segreta di suo perché qui da noi la vicina Vojvodina manco esiste».

«Ma professore, li ha chiamati patrioti, quei magiari».

«Visti da qui sono trafficanti d'armi e altre cose. Punti di vista, ma valori in concorrenza. Giri lo sguardo e il crimine diventa eroismo, o l'eroismo crimine, o solo imbarazzo diplomatico, per Budapest, in questo caso, più o meno, chissà».

«Non è il mio genere, professore».

«Nemmeno il mio, ma cambi cavallo, dottor Pezzullo, e batterà sul tempo i suoi colleghi della magistratura ordinaria. Se lei ha ragione solo un poco, se hanno ragione solo un poco i suoi colleghi serbi, il suo uomo è Savio. Manca in Vojvodina c'è andato per amore, a Muro ancora saldo, Savio da osservatore, in quella Jugoslavia sgretolata. Ma nel nostro piccolo, che lei sappia, si conoscevano, lo zingaro Levakovich, il morto nello scoppio, e il capitano Savio?».

«Perché vuole saperlo?».

«Scusi, lo sa, non lo sa, non lo può dire, non vuole dirlo?».

«Non lo so. Mai posto il problema. Me le dà queste altre cassette?».

«Non se ne fa niente, lei».

«E invece sì, professore. Perché ho capito».

«Che cosa ha capito?».

«Che ciò che il tenente lascia scritto o registrato è il suo alibi migliore, perché lui era altrove, non in questa storia».

«E le ho pure detto che secondo me ciò che Manca lascia detto e scritto è un alibi anche per qualcun altro in questa storia, e anche nella storia più grande, geopolitica, di tutti questi crolli tutto intorno, che a volte mettono a nudo e in vista intimità di camere private senza una parete».

«Non la seguo, professore».

«Come ha saputo che Manca ha scritto quei quaderni?».

«Dal capitano Savio. Dopo l'incidente in polveriera».

«Ci avrei giurato. Per Savio quello è un alibi quanto lo è per Manca. Manca ci scrive i sogni e i disinganni della gioventù, Savio ci camuffa i suoi traffici da retrovia. Ma che i quaderni erano due, a lei, dottor Pezzullo, chi gliel'ha detto?».

«Manca, qui all'ospedale: avrebbe giurato anche su questo?».

Lampis apre il cofano della sua Y10 e tutti e due indietreggiano davanti al traboccare della variopinta attrezzatura da speleologo.

«È roba sua?», chiede Pezzullo raccogliendo un casco giallo con la torcia incorporata.

«No, solo prestata per la circostanza».

«Ah, quale circostanza?».

«Cos'è, questo, un colloquio investigativo irrituale?».

«No. Sì. Forse si può dire un'assunzione di informazioni, da uno informato sui fatti, che la sa lunga».

«Da me?», e il professore ride, mai visto prima ridere così.

Il dottor Pezzullo aspetta serio: «E questa attrezzatura, professore, a che le serve?».

«A scendere più a fondo nel mistero».

9

Quel giorno Lampis, mentre prepara la copia
dei quaderni del tenente da dare a suo fratello,
pensa che forse il dottor Manca non riporta a
casa, di suo fratello Anselmo, niente che parli di
lui quanto quelle pagine. Poi a casa decide di fargli anche copia delle cassette di registrazioni
ospedaliere. Più tardi al suo albergo gli consegna
i due quaderni, gli dà pure copia delle due cassette, e gli dice: «Queste parlano anche più chiaro, con la sua viva voce, sa, alla fine persino sovversiva».

Chiama il figlio Bruno e gli risponde il compagno
di sua moglie, un genetista che si è presa l'abitudine loquace di aggiornare anche Lampis sulle
sue ricerche, che mostrano tra l'altro che in Italia del Nordest la percentuale di figli di famiglia,
biologicamente non dei due legali genitori, è del
venti per cento: uno studioso delle corna, insomma, che al professore ha fornito da molto, non

richieste, le prove in DNA della sua paternità biologica.

Da tempo Lampis vantava a suo figlio il servizio civile di leva. Anche quel giorno. Bruno interloquiva a monosillabi e grugniti, ma a un certo punto fa, ridendo: «Oh, ma qui, papà, chi ti tiene d'orecchio?».

«Cioè?».

«Ti controllano il telefono», e non ride più. «Li senti i ritorni nel ricevitore?».

«Guarda meno filmetti americani alla tivù».

Chiama Trau e gli dice della morte del tenente.

«L'hanno ammazzato», fa cupo il cameriere.

«Forse. Ma non lasciamo la cosa al suo mistero».

«E l'escursione speleologica? Ho rimediato un verricello».

«Per ora rimandiamo».

«A quando?».

Lampis non risponde. Ha altro per la testa.

Anche quando chiama la Florianic, Lampis ha altro per la testa: «Ha saputo del tenente Manca?», si domandano insieme, come nelle comiche. Commiserato il morto, nemmeno lei lo lascia al suo mistero: «Domani vado a dirla al magistrato, tutta la storia del Levakovich».

«Non lo faccia ancora. È tenuta al riserbo».

«Non sono prete o giudice o avvocato, io».

«Le rideranno in faccia. Ridurranno al trito. O peggio», e si accalora, però abbassando il tono: «Qui tutto è sotterraneo e scivoloso. Si adegui al tipo di terreno».

«Però non ha più da proteggere nessun tenente Manca neanche lei. Non deve sostenere nessun'anima o gabbiano con le ali mozze».

«Non è detto. Nessuno muore mai del tutto, non lascia illesi intorno, mica solo gli zingari che vanno di traverso. Questa morte mi afferra...». E s'interrompe lì, teme il sarcasmo della Florianic. Lei se ne accorge. E capisce che lui ha già deciso di tenerla fuori, di esporsi tutto solo a chissà cosa di preciso, che lui solo sa, forse. E non vuole parlarne, si capisce che ha già troppo da fare con se stesso, dentro.

Anche lei. Perché pensa crudamente al suo orologio biologico, così vicina ai quaranta, quando sua madre e anche sua nonna materna sono entrate in menopausa. Cambia tono e modi: «Oggi è il mio compleanno. Si doveva uscire insieme. Ormai non è il caso. Bene, perché non viene lei, qui da me?».

«Sì, grazie, subito».

Nel soggiorno lui nota le orchidee selvatiche del

Carso. Lei subito le aggiusta un po' nel vaso, sul tavolino del telefono, poi va in cucina, si sente il rubinetto, torna e aggiunge acqua nel vaso: «Grazie, sono ancora così belle».

Seduti faccia a faccia, lei sul divano e lui in una poltrona, troppo zitti, lei ogni tanto fa un sorriso ospitale, tirando su un po' troppo spesso l'orlo della gonna.

«Sono venuto a mani vuote. Già. Perché questa morte, sì, questa morte mi afferra alla gola e mi stordisce», dice il professore come continuando la conversazione di prima al telefono. «Ma se un giorno dovessi nascondermi, per non farmi trovare da un nemico, me ne andrei coi suoi zingari, come volevo fare da bambino con quelli del circo Zanfretta, al mio paese. Oppure, come un antico tiranno di Corinto, mi nasconderei in un alveare di stoppie dei Carpazi, già: dei Monti *Scarpazi*, come diceva mio figlio da bambino». Si pente, si vergogna, chissà di che cosa. Poi dice a caso, come distratto: «Mio figlio dice che mi tengono d'orecchio».

«Cioè, chi?».

«Che mi controllano il telefono, quello che dico, quello che diciamo anche noi due».

«E lei, che ne dice?».

«Dico che non è vero».

«Già, questa è una notizia che sprofonda troppo nell'incerto, nell'ignoto, nei segreti di chi ha il segreto per mestiere, cose da spie». Eh sì, nell'ignoto, dietro a ciò che si fa noto, pensa la Florianic, che più precisamente però sta pensando a come si riaprono le complicazioni e le inadeguatezze soprattutto quando lei cerca di esprimere a lui con abbastanza chiarezza i suoi propri sentimenti.

Lui zitto, respira profondo, si scuote come un cane bagnato: «Saperne di più: bisogna saperne di più. Ho dato al magistrato la cassetta registrata in ospedale. Per rafforzare l'alibi del nostro Manca, come dice lei».

«I morti non accampano diritti su noi vivi, professore», ma le sembra di averlo detto con troppa forza. «Comunque lei deve fare lezioni sulla guerra, non andare in guerra».

«Coi miei piedi piatti e la pancetta, di ridotte attitudini militari già a vent'anni. A cinquanta però, so che l'eroismo non è evasione dal proprio dovere a stipendio fisso».

«Lei cerca il corpo a corpo».

«E non ho il fisico del ruolo. Vero. Ma so, connetto e intendo, e a qualcosa serve».

«Finora, mi scusi, lei non ha mai saputo abbastanza per agire. Ciò che sa le apre sempre altre incertezze. E come mai adesso, sul capitano Savio…».

«Su quello lì, io ho solo certezze, certezze forti, anzi furibonde, più forti di ogni prova».

«Va bene, in questa storia Savio è il cattivo. Ma non è più normale se almeno il cattivo se la cava, in quel sottomondo militare, perché sono fatti l'uno per l'altro? Questa storia si reggerebbe meglio, no?».

«Sì, poi non resterebbe che una bella riflessione generale sul principio della sopravvivenza del più adatto. Ma il darwinismo sociale è stato già più che smentito come modo per capire il mondo, o anche solo per capire il delinquere, figurarsi come guida all'azione. Le sue letture, signorina, sono da aggiornare». E ride, e per spogliarsi del tutto della sua aria professorale, le mostra anche la lingua. «Lei però da ragazzino ha letto troppi fumetti su indiani e cowboy, su vendicatori solitari, anche su salvatori solitari…», ma sta esagerando, si ferma: «Senta, se ha fame e gradisce la cena che posso improvvisare io, non faccia complimenti».

«Mi accontento di tutto. Forza che l'aiuto».

«Due spaghetti al pomodoro fresco, olio e basilico, va bene?», e fa per mettersi un grembiule ma subito lo mette via, sistema sul gas una pentola d'acqua, gli fa cadere in mano un cavatappi e accenna a uno scaffale con bottiglie: «Scelga lei il vino». Veloce guarnisce la tavola di due coperti e di una decina di cose colorate da mangiare subito: formaggi, salumi, olive varie, sottaceti, funghi sott'olio, verdure crude in pinzimonio. Non fanno in tempo a bere due dita del vino rosso come aperitivo, che già l'acqua bolle. Lei butta la pasta, dopo che gli fa giudicare la quantità. E a vino finito, la pasta è da scolare: lei tiene lo scolino, lui versa l'acqua e subito lo investe un nebbione di vapore, si appannano gli occhiali, non ci vede più. Lei ride divertita, lui posa la pentola sul piano di cucina, lei gli toglie gli occhiali, attenta, con le due mani alle stanghette mentre lui si china docile, ma lei gli si deve avvicinare, col respiro corto, posa gli occhiali, lui fa per riprenderli e la mano destra di lui sfiora la sinistra di lei, si toccano, s'intrecciano le dita: sì, tremano tutti e due, così lui l'abbraccia, finalmente, si stringono, con un'ansia che ha atteso troppo tempo. La bacia sulla bocca. E così molto a lungo, finché lei gli toglie la giacca, poi la camicia con appesa la cravatta mentre lui fa fatica a sciogliere i suoi nodi e asole e bottoni, ma sono già sul divano, svestiti a metà, e fanno l'amore come lo fa una coppia che non l'ha mai fatto, con la fretta e l'affanno della prima volta.

«Che ci succede?», dice alla fine lui.
«Già, che cosa?». Lo prende per mano e se lo porta in camera da letto, lo aiuta a mettersi sotto le coperte. «Torno subito. Vado un momento in bagno», dice lei, «bisogna essere prudenti. Prima non lo siamo stati. Mi aspetti?».
«In eterno», dice lui.
Quando lei torna, continuano con calma nel suo letto sotto le coperte, stavolta come se l'avessero già fatto per decenni, di starsene insieme a questo modo.
«Guarda un po', chi l'avrebbe mai detto?», dice lei, dopo, ripreso fiato e con un viso soddisfatto che lo scruta tutto, il corpo intero, come per esserne sicura.
«Io, me lo sono detto tante volte».
«Ma non ti fidavi, tu, gatto scottato».
«Troppe volte me lo sono detto. Ma non che sarebbe stato così».
«Come?».
«Così… facile», dice lui, e lei scoppia a ridere, ride, ride, sempre più libera e spontanea rigiran-

dosi nel letto, coprendosi la faccia col lenzuolo, mentre lui sta lì inebetito e lascia fare.

E quando a lei riesce di calmarsi un po': «Dunque sarei una donna facile, io, che ti ha ceduto appena ti sei fatto avanti».

«Non può essere che una poco di buono, una che viene a letto con me», e lei di nuovo a ridere, in tutti i modi del ridere, finché di tutti i modi di piangere, finalmente sul viso le compare quello della commozione. E parlano, parlano a lungo, così vicini, a letto, passando da un argomento all'altro, ricordando il rimasto sospeso, riallacciando i fili, riannodandoli. Ridono di lui per le duemila volte che ha scherzato, però mica tanto, dicendo la sua convinzione antropologica che le nostre donne sono le femmine rimaste di una specie estinta, e così pure gli uomini, maschi residui di un'altra specie estinta, sicché vedi un po' le conseguenze. O della volta, la prima volta che Letizia l'ha visto e sentito, e diceva in pubblico dibattito, in risposta a un tale che faceva il femminista sostenendo la superiorità fisica morale e intellettuale delle donne: «A un uomo che sostiene questo le donne certamente sono tutte superiori: nessuna donna mai si perderebbe a idealizzare in questo modo un uomo, o addirittura tutti gli

357

uomini». Cercano di stare alla larga da questa storia militare e giudiziaria, per non rovinare la bella novità. Soprattutto lei sta attenta a non fargli la richiesta di sapere che posto ha lei adesso nella sua vita, a parte questa storia, dopo il posto avuto finora, e dopo stasera, e stanotte. Ma è lui, già quasi in dormiveglia tutti e due, che le riparla della necessità di un viaggio in Serbia, nella Vojvodina, dalle parti di Radót: «Per saperne di più. Una bella incursione sul campo ci vuole, per capire». «Sì, sul campo di battaglia».

«Qualche tempo fa da quelle parti ci ha fatto un'incursione Marco Pannella, il leader radicale, ha marciato in Slavonia in tenuta militare, per sostenere, diceva, i civili croati contro la barbarie serba. Un po' più in là, da quelle parti, io ci ho le mie conoscenze, vecchie frequentazioni di allevatori di api, dei tempi che facevo ricerche sul campo nei Carpazi, già, sui Monti *Scarpazi*...», e ci si addormenta. Ronfa un po' ma poi, anche lei già mezzo addormentata, lo sente dire qualche cosa di quando era un ragazzo esile e bassotto ma faceva a pugni coi più grossi per mostrare e convincersi di non avere paura. Ed è già nel primo sonno quando le pare di sentirlo ancora dire una cosa complicata, e di capire che finora lui ha organizzato la sua vita lungo linee sempre dritte, che però poi sono andate sempre storte, ma ecco arrivato il momento di provarne una storta, che magari gli riesce finalmente dritta. Quando lui si addormenta mantenendo stretta la mano di lei, nell'oscurità ascoltando il suo respiro le pare che lui se la stia portando dentro a uno di quei sogni dove vengono al pettine i nodi della vita.

Il mattino dopo, mattino spettinato, sicché lei un poco si vergogna, ma per fortuna senza ridicole pantofole e pigiami, pensa lui già tutto calzato e vestito, seduti in cucina a colazione, dopo il caffè lui le racconta un sogno che ricorda della notte: la ripetizione di una cosa vera che faceva spesso con suo figlio Bruno, da bambino piccolo, di solito prima della nanna: mimava la lite di due tipi diversissimi tra loro, l'uno garbato e timido, l'altro gradasso e prepotente, l'uno che parla calmo e preciso mentre l'altro è sicuro, insinuante, anche minaccioso. Bruno ascoltava col giusto sussiego e rideva ogni volta ugualmente felice a quella sua buffoneria, gli chiedeva come si chiamavano i due, ma stavolta nel sogno suo padre non ricorda i nomi di quando Bruno era bambino, perché adesso nel sogno suo figlio è già grande e deve andare militare, e glielo chiede ancora come si chiamano quei due, e lui glieli dice, i due nomi. «E sai chi sono?», chiede adesso Silverio a Letizia. «No, chi sono?», dice lei nascosta dietro le ciglia, sorniona.

«Anselmo Manca il gentile e Carlo Savio lo smargiasso».

Letizia sta per osservare che sì, Carlo Savio va bene, però Anselmo Manca è morto, e qualcuno lo deve sostituire, fuori della confusa onnipotenza dei sogni. Ma non lo dice, non ce n'è bisogno. Dice solo che lei ce l'ha un sogno da raccontare, non un sogno di sonno ma di veglia, è il più bello della sua vita e sta durando ancora, e non ha bisogno di raccontarlo proprio a lui: «Semmai di continuarlo».

«Lasciami fare a modo mio», le dice dopo, sulla soglia di casa di lei, già preso da ciò che l'aspetta, indaffarato con dentro l'ansia e la voglia di avventura: «Ne ho bisogno».

«Sì, sì», dice lei, e poi vorrebbe aggiungere chissà che cosa, del molto che ha da dire. Perché anche lei tra l'altro ha fatto certi sogni nella notte, e in uno ci ha rivisto un suo nipote, figlio di suo fratello, sedici anni, che nella sua dolente adolescenza un giorno ha preso l'avventura, il sovrumano disponibile nel suo rione di periferia: in motorino prestato da un amico ha sfidato un senso unico a rovescio; e non si è più rivisto vivo e sano (miodio, nemmeno il nome ricordava più nel sogno: Silvio). Tutto d'un fiato, quando Silverio scende già le scale, Letizia da su quasi gli grida: «Silverio, ma alla larga dai crepacci, da Savio e dagli zingari che vanno di traverso».

10

Lampis non è stato alla larga dai crepacci. Né da Savio. Forse nemmeno dagli zingari.

Un suo vicino di casa, insonne, ha testimoniato di averlo visto uscire di casa in strada verso l'alba umida di quella domenica di giugno, salire svelto in macchina e partire anche più svelto, sgommando sull'asfalto come un giovinastro.

Il lunedì mattina un commesso del Minisupermarket vicino a casa di Lampis, quello che giorno e notte a intermittenza ricolora il mondo in quadricromia di luci al neon, mentre pulisce il marciapiede dai residui festivi cittadini, nota questa Y10 in sosta vietata, aperta e con le chiavi nel cruscotto, di fianco all'Agenzia La Pace, proprio sotto la targa dell'agenzia col nome allegro che camuffa le funzioni mortuarie. È un moldavo romeno, conosce il professor Silverio Lampis, anche la sua auto, ogni tanto si scambiano dei convenevoli.

Radunando i carrelli sbandati da riportare all'ovile del Minisupermarket, il giovane moldavo di fatica rivede poi la macchina sperduta la sera nello stesso posto, e nota le tre multe al parabrezza. Il mattino dopo l'auto è ancora lì, ed è lui che lancia il primo allarme.

Lo sprofondo

I

«Sa quanti spariscono a Trieste?», chiede severo
ma annoiato il questurino a una Letizia corsa in
questura trafelata. Poco fa è stata raggiunta all'u-
niversità grazie ai documenti della Y10, carica di
multe e poi soggetta a rimozione forzata. Prima
ha pagato e ritirato l'auto, il mazzo di chiavi e tutto, meno gli aggeggi da speleologo, di cui non sa.
Entrata in casa Lampis prima di altri occhi e di
altre mani, ha notato disordine normale per uno
come lui. Mancavano indumenti, le solite valigie.
Mancava il "suo" maglione grigio. E ha fatto
molte telefonate, suscitando allarmi in sinergia, già
decisa a seguire tutti i grani di riso, o briciole di
pane, che questo suo Pollicino si è lasciato dietro.
«Signorina… Florianic, sono quarantadue scomparsi, nei primi sei mesi di quest'anno, a Trieste
e provincia».
«Quanto ci vuole ad aggiornare il conto?».
«Dipende se adulto o minorenne, ma per un bambino basta un giorno, per un lattante ore. In que-

sto caso giorni, settimane», e quasi sorride: «E mettiamolo in lista, 'sto bambino, dato che ci siamo».

Lo generalizzano in oggetto, lo particolarizzano nella fattispecie e lo localizzano in ipotesi, riempiendo un lungo modulo per lei astruso, meno la chiara annotazione: *sembra trattarsi di allontanamento volontario*.

E poi Letizia corre al funerale del tenente Manca.

Poca gente alle esequie. C'è il dottor Pezzullo: «Ah, lei, piacere, signorina», le fa, gentile.

«Abbiamo un amico in comune».

«Sì. Lo sto cercando».

«Lo cerca qui? Non c'è. Silverio Lampis è... scomparso».

Pezzullo fa un sorriso di sorpresa, incredulo e perfino divertito: «In che senso scomparso?».

«Come un fiume che sfocia nel deserto. O in mare, che è lo stesso».

«Cioè, mi spieghi». Si lascia spiegare, poi dice: «Magari è come un fiume carsico, scompare e ricompare». Poi fa spallucce: «Si fa presto a dire scomparso. Basta aspettare quanto basta». E stanno vicini.

Dopo, salutandosi, lui le dice: «Venga a trovar-

mi. Oggi stesso, domani, quando vuole», e le
mette in mano un biglietto coi recapiti.

Dopo la cerimonia, Letizia conosce anche Milena Savio, la moglie di Carlo che però non c'è: lui
no, lei sì, chissà perché. È molto luttuosa, ma elegante, però non è per questo che Letizia non riesce a togliere gli occhi di dosso alla moglie del capitano Carlo Savio, che non c'è, sta di là in quella
che finora è stata la Jugoslavia a osservare.
Quando il feretro parte in carro funebre, verso il
mare e l'isola natia, Letizia ha la sensazione di essere lei tra tutti, a parte forse Lampis, a sapere di
più di questa morte, di questa storia, di tutto quanto. E dunque ha dei doveri. Sì, lei ha le sue
responsabilità. Come Lampis. Anche più di lui, a
quanto pare.
Ma per decidere i suoi compiti si dà tutta la notte. Che passa quasi tutta nella sua poltrona delle
insonnie. Sì, tocca a lei adesso tenere conto di tutte le tracce che si è lasciato dietro questo suo Pollicino che si è perso, tutte le molliche, tutti i
semi che ha lasciato cadere, anche senza sapere e
senza volere. Perché gli uomini sono sempre così
distratti, anche nelle cose più importanti della vita.

2

La mattina presto, l'indomani, Letizia sta già
salendo l'ascensore che la porta dal dottor Pezzullo.
È molto agitata. Nella cabina si vede nella porta
a specchio, e si trova brutta, stanca. Non ha dormito la notte. E di buon mattino ha messo su una
scaletta puntigliosa di argomenti, sul caso Man-
ca-Lampis, così lo chiama lei, con un abbozzo di
disegno, rette convergenti in più punti di fuga. Uno
di questi punti è la discarica di Repen, un altro
la Vojvodina, un terzo la polveriera più importante
della Soglia di Gorizia.
È lì per mettere il magistrato militare sulla pista
dello zingaro, con qualcosa da chiedergli in compenso. E subito, come sa fare lei senza pream-
boli, nell'improvvisato ufficio triestino a un
dottor Pezzullo torturato da incredulità Letizia
riferisce quanto sa della discarica di Repen, del
Levakovich, e anche dell'ultima fissazione di
Lampis: si conoscevano, lo zingaro e il capitano Savio?

«Questo lo voleva sapere anche da me. Ma non lo so».

Letizia pensa a un sopralluogo alla discarica di Repen, magari sotterraneo: «Non c'è da contare sui parenti, per saperne di più», e gli spiega il silenzio zingaro sui morti. Ma questa storia le sembra all'improvviso impossibile da dire, e gli chiede: «Non mi ride in faccia? Il professore lo temeva».

«Che le avrei riso in faccia? Si fida poco, lui, dei magistrati, specie militari».

«Le propongo un patto, quasi un baratto, forse un ricatto: le dico tutto sul Levakovich e lei mi mette in contatto con la magistratura ordinaria che si occupa del caso».

Lui ride. «Quella se ne occupa senza di me e anche contro di me». Ma si fa dire e ripetere le cose, prende fitti appunti a matita con la gomma in coda, serio, concentrato. Poi fa il sunto, ironico: «Dunque si tratterebbe di un caso di carsismo sfruttato a fini illeciti. Ma quali, signorina?».

«Questo è il punto».

«Vedo che ha preso risoluta il testimone dal professore».

«E lo cedo a lei, l'unico autorizzato a tagliare il traguardo. Corriamo a staffetta, tutti e tre».

«Sì, le assicuro che sono già dietro ai modi della vita e della morte del tenente Manca, a come il professore se n'è interessato, a quel suo sospetto di pedinamento, all'idea di una visita in Vojvodina. Starò dietro anche alle voglie di discesa agli inferi, nel ventre labirintico del Carso, magari dietro agli zingari che vanno di traverso, e pure ai sospetti di contatto tra il Savio e il Levakovich. Ma non con la magistratura ordinaria, non ce la farei, non ce la faccio bene neanche io».

Si dovrebbe stare dietro anche al maglione grigio che gli ha regalato lei, forse finito nella borsa da sella del suo Ronzinante. «Il professore», gli dice invece, «prima di sparire ha chiesto e ottenuto un anno sabbatico, per studi».

«Non è uno studioso sventato. Se fosse scomparso, non sarebbe contro la sua volontà».

«Ricordo una sua frase, di qualche giorno prima di sparire: Signorina, io al mio funerale voglio essere presente».

Pezzullo sta per dire qualcosa, ma cambia idea. Si alza, va alla finestra e dà le spalle alla Florianic. Poi si volta: «Dunque se n'è andato lui».

«Ma perché, dove?».

La domanda resta lì, sospesa. Lei sta per aggiungere qualcosa che però non dice, si vede, e dice altro, parla dei colloqui di Lampis con Manca in ospedale, delle cassette registrate: «So che quelle le ha lei, che gliele ha date il professore».

«Lei non è qui solo per impegolarmi nei meandri del carsismo. Lei vuole copia di quelle registrazioni ospedaliere».

Letizia si aggrappa alla borsetta: «Cosa farebbe Sancio se sparisse don Chisciotte?».

Lui strabuzza gli occhi. Poi dice calmo: «È tutto intercettato, quanto detto e fatto in ospedale, nella stanza di Manca. Intercettazioni ambientali, ha presente?».

«Quelle non posso chiederle, suppongo. Saranno segretissime».

«Già, non so se io ci avrò accesso».

«Le altre, del magnetofono del professore, posso averle? Lì comanda lei, no?».

«Sì, comando io, pare. Se posso, le avrà. Per motivi di studio».

3

Letizia avverte per telefono moglie e figlio di Silverio Lampis, prima che lo facciano i carabinieri. Il figlio Bruno incassa, troppo zitto, manda certi mugugni che giungono male fino a lei, si perdono chissà in quale intoppo telefonico, forse di quei tali che stanno chissà dove a spiare suo padre. La ex moglie invece è loquace, fin troppo, ma non dice niente di utile, e conclude: «Cosa non s'inventa, per non pagare il dazio, quello lì».

«Sta pagando, eccome», dice Letizia a telefono già chiuso. Ma la disinvoltura dell'ex moglie quasi la incoraggia: avrà ragione lei?

Letizia paga al cameriere Trau le attrezzature da speleologo, sparite e non più ritrovate nel cofano della Y10. Ma non prima, proprio al Parenzo, di averlo spremuto di ogni cosa che il cameriere sa su Lampis. «Uno che *pagava*, sempre, di persona», dice Trau compunto, quasi per bisogno di epitaffio, e dunque, incassati i soldi, corregge i tempi verbali: «Sì, lui è uno che *paga*, il professor Lampis, con gli interessi, e lascia anche la mancia, sempre». «Magari anche stavolta ha fatto bene i conti, e con l'oste, come me con lei».

Cerca la signora Savio con la scusa di un suo studio, di una raccolta di opinioni: «Sulla guerra patita dalle donne».
Milena dice sì, però con un sospiro: «Anche subito».
E si fionda a casa dei Savio a Monfalcone.

«Io non posso parlare, lei capisce», dice Milena già pentita, eppure tradendo la voglia di parlare, dopo i convenevoli, sedute faccia a faccia nel soggiorno a colori pastello: «Cosa posso offrirle?».
E si protegge a lungo con cerimonie di ospitalità meticolosa. Letizia loda la sua casa, il modo di tenerla. Ma dopo il tè coi savoiardi, dopo frasi d'assaggio, perché non è brava solo coi suoi zingari, Letizia tira fuori dalla borsa un quaderno scritto a mano, fitto fitto, col segno in un punto: «Mi faccia un favore, legga qui, credo che le interessi».
Milena Savio legge. Cambia più volte posizione sul divano, stupisce negli occhioni, soffre, sospira, ride. Poi si rilegge tutto, ma più riflessiva, e non ride più.

«È lei, no, quella ragazza lì?», chiede infine Letizia.

Milena tergiversa con le mani e coi sospiri e finalmente dice: «Sì, sono io», perché ha letto il brano del manoscritto di Manca, dove la fidanzata dell'allievo Savio fa le gite alpestri con l'allievo Manca impacciato cavaliere.

Ne parlano a lungo. Ricorda bene, Milena Savio. Anche con rimpianto. In fondo è gioventù. E dicono e parlano. Letizia fa parlare la signora Savio.

«Però poi, adesso, scusa», dice Letizia, quando sono già al tu, e tenta un affondo decisivo, «tu l'hai mai conosciuta qui a Trieste la signora Manca, l'adesso vedova del povero tenente Anselmo Manca?».

«Sì e no. Intravista, qualche volta. È ritornata al suo paese, no, da tempo?».

«Sì, al suo paese, in luoghi dov'è stato tuo marito, di recente».

«Per servizio».

«Vorrei incontrarlo, tuo marito».

«Anch'io», dice Milena. E le acque pure alpestri le si intorbidano, si fanno torrentizie, e lamenta troppo il suo dovere di tacere: «Ordini, mi hanno proibito di parlare».

376

«Chi... e perché?».

Un gesto vago a luoghi altolocati. Poi se le torce troppo quelle mani, curate molto, ma col pollice destro mordicchiato all'unghia. Non deve parlare, tanto meno di ciò di cui ha tanta voglia di parlare.

«Non parlare di cosa?».

«Non posso dirlo».

«Non c'è segreto militare per le mogli dei soldati».

«Non è mica detto». Milena sgrana gli occhi e le si legge in viso che sì, adesso parla. Però dice: «Io maledico il giorno che ho deciso di venirci, qui a Trieste».

«Ma tuo marito ci è venuto, e tu con lui».

«Avevo un mio progetto: fargli lasciare la divisa. Perché c'era, c'è questo mio zio, a Trieste».

Quando sente il nome, dello zio di Milena, a Letizia sembra che se lo sia detto lei, dentro di sé, quel nome, prima di Milena: il Sekula. Ha un po' di vertigini, si afferra ai bracci della sua poltrona. Lascia finire Milena che le dice cose che non segue più, e fa la sua domanda: «Tu, Milena, hai mai sentito parlare di un certo Zeno Levakovich, detto El Cocàl, o Mercoledì delle Ceneri, robivecchi e comprotutto?».

377

«No, non mi dicono niente, né i nomi né i nomignoli e nemmeno il mestiere».

«Ma sì, quel poveretto morto nello scoppio in polveriera, subito, prima del tenente Manca, tu non l'avevi mai sentito nominare, prima? Magari da tuo marito?».

«No, non mi pare. Non posso dirlo».

«Scusa, non ti pare o non puoi dirlo?».

«Che non sappia o non possa, fa lo stesso, non lo dico».

Ma quando Letizia sta già andando via, Milena le chiede di tenerlo ancora lei, il manoscritto del tenente Manca.

Non aspettava altro, e dalla borsa Letizia prende anche le cassette ospedaliere registrate: «Senti, io ti lascio anche queste. Poi se vuoi ci sentiamo».

4

La notte stessa chiama lei, Milena Savio, a notte
fonda: «Ho letto tutto. Ho ascoltato tutto. Anche
di quella lì, della signora Manca, che sarà pure eva-
nescente, vista in controluce alle finestre, quella
lì... Ho finito adesso». A Milena trema un po' la
voce: «Noi siamo amiche, no?».
«Sì, sicuro».
«Perché io adesso ho deciso di dirtelo». Letizia
zitta, in attesa. Milena esita, sospira: «Non è
questione di gelosia». Sospira ancora, poi d'un fiato: «Mio marito è scomparso, né più né meno del
tuo professor Lamis».
«Lampis, si chiama. Quando, come?».
«Il sette giugno. Da allora niente».
«E dove stava tuo marito, quella domenica di giugno?».
«Stava a casa, qui. È uscito la sera tardi, dopo una
telefonata, per un appuntamento con qualcuno, ha
detto».
Scomparso, svanito. Nessuno l'ha più visto da nes-

suna parte, nemmeno in retrovie del mattatoio jugoslavo. Neanche più sentito. Più del professor Lampis, il capitano Savio è evaporato come un fiume nel deserto proprio il giorno o la notte che lo stesso dev'essere successo al professore. «*Desaparecido*», dice strozzata dai singhiozzi la signora Savio: «Lui me l'aveva fatto già parecchie volte, di andarsene così, di punto in bianco, specie da quando viene e va dalla Jugoslavia. Ma stavolta... Si sarà messo dietro a quella donna? Io l'ho cercato molto, a modo mio, anche da maghi, cartomanti...». Letizia ancora zitta. «Ma chi è, chi è quella donna?».

«Una donna bella, questo è certo». E ha voglia di dirle quanto è strano che Milena non l'abbia mai incontrata, la moglie di un collega del marito. Invece dice: «Da lei siamo al sicuro, è in carcere in Vojvodina».

Al sicuro anche lei, Letizia Enea Florianic, al sicuro anche lei da Júlia Kiss?, si chiede poi a casa, da sola, prima nella poltrona delle insonnie, poi a letto.
Ma è colpa della notte, che deforma tutto.
Tutto sarà più chiaro già domani. E sarà meglio.

5

L'indomani telefona al dottor Pezzullo.
Ogni giorno Letizia telefona al dottor Pezzullo.
Niente di nuovo, a lungo.

«Ci sono novità», le annuncia una mattina il magistrato.
«Mi dica. Può dirmi?».
«Le novità sono che la discarica di Repen è illegale, in parte, per l'uso disinvolto dei carsismi. Anche con mezzi scarsi di sondaggio le due procure della repubblica, in sinergia davvero eccezionale, ci hanno scoperto attività estrattive in stalagmiti, con uso di esplosivi militari. Quattro arresti, ma solo gentuccia, poveracci impiegati alla discarica. Denuncia a piede libero al titolare, al Sekula che giura sui suoi figli e si lamenta di persecuzioni all'imprenditoria locale più avanzata».
Lei, zitta, aspetta.
«È rimasta delusa?».

«Veda un po' lei, dottore, se è importante che il giorno che sparisce il professore, scompare anche il capitano Savio. Questo lei lo sapeva già, poteva dirmelo, credo. E le pare importante che la signora Savio è la nipote di quel Sekula che possiede la discarica di Repen?».

Lui sta zitto a lungo. Finalmente dice: «Venga a trovarmi presto. Anzi no. Vengo io da lei. Meglio, troviamoci per caso, da qualche parte».

L'appuntamento, alla fine, è sul Carso, a Rupingrande, con tecniche cospiratorie, imposte dal dottor Pezzullo. Lei prima recalcitra, ma poi ci sta.

6

La serata è bella. Il Carso pure. Seduti in un baretto a uno dei due soli tavolini, un caffè ciascuno, il dottor Pezzullo si fa ripetere le novità, di Savio, della moglie.

Quando lei finisce, lui è depresso.

«E sulla pista zingara, dottor Pezzullo, lei ha novità, se le merito ancora?».

«Quello di Repen è un misterioso inghiottitoio carsico. Piuttosto, non riesco a perdonare al professore di avere giocato sempre a carte coperte anche con me. E poi né all'università né a casa si ritrova un segno del perché del suo svanire, tanto meno del come. Ha chiuso casa come per tornare, no?».

«Figurarsi se non sono d'accordo, sul tornare».

«Non ha lasciato un rigo. Solo certi appunti di generica saggezza. Amava... ama gli aforismi».

«Specie i suoi. Però mi scusi, dottore, cosa mi nasconde, ancora?».

«Nascondere? Altri nasconde troppo in questa storia».

«Chi, perché?», chiede lei a bassa voce.

Lui si assesta e si riassesta sulla sedia e fa le smorfie come chi ha dentro qualcosa che non sa sturare. Si alza: «Voglio una minerale. Lei?».

«Anch'io, naturale».

Torna con due bottiglie: «Io frizzante». Due acque in due bicchieri. Bevono, lui con sospiro di soddisfazione. E sbotta: «Insomma, hanno fatto collassare l'inghiottitoio di Repen, discarica e tutto, con la dinamite, l'altra notte, ignoti».

«E adesso?».

«Il diavolo stavolta ha fatto pentola e coperchio, e il parroco di Repen ha benedetto tutto, in sloveno, italiano e latino, *per omnia saecula saeculorum*».

«Amen. Ci rassegnamo così?».

«A un tappo di miliardi di tonnellate di roccia sì, bisogna rassegnarsi. Sigillo per l'eternità».

«Non può essere».

«Invece sì. È pure sul confine. Mesi fa si sparavano addosso in quei paraggi, sloveni e federali. Manca ne sapeva qualcosa. Si parla di esplosione accidentale, di residuati bellici recenti e non recenti».

Stanno in silenzio tutti e due. «E quell'altro, il Savio?», rilancia lei.

«Già, il Savio. Nemmeno questo dovrei dirle. Perché il Savio… ma sì, lo dànno annegato in un punto dei mille chilometri di canali che fanno della Vojvodina una parte del Mare di Pannonia, sul confine serbo-magiaro, e ripescato in una diga a Novi Sad».

Letizia, che l'eccitazione ha spinto ancora più in avanti, qui ricade all'indietro, come colpita in pieno petto. E va in apnea, anche di pensieri. Poi dice rauca e fuori tempo, confusa e impaurita: «Ma la tombola no!».

«Cioè?».

«Una cinquina i morti in questa storia: Levakovich, Parisi, Stefanoni, Manca e Savio».

«Speriamo». Pezzullo sta guardando verso un vago altrove. Ma per lui preciso: «Il Savio, osservatore NATO nello sfascio jugoslavo, in luoghi lontanissimi ma qui a due passi, direbbe il professore…».

«Anche la geografia è un'opinione, direbbe pure».

«Il Savio è lì, solo, forse al presidio di confini altrui, nessuno che lo stimi, non lo conoscono neppure, forse solo come nemico, ficcanaso, al massimo un estraneo. Ma si danno da fare sul suo corpo fradicio, quando lo ripescano da un canale del Danubio. Sono stati avvertiti per telefono, da uno straniero con accento italiano che non parlava il serbo, ma l'inglese e l'ungherese. E arrivano in soccorso, lo ripescano, e poi un'ambulanza, ecco i rianimatori, cercano la scintilla che forse si nasconde ancora nel suo corpo, s'interessano a lei, perché anche quella è vita, e tutti un giorno dobbiamo morire, tutti figli 'e mamma... e sembra che la trovino, la fiammella tenue, l'aiutano, la reggono il tanto che basta al capitano Savio per dire qualcosa in italiano. Nessuno l'ha capito».

«Ed è andata così?».

«C'è un rapporto, riservato. Mal tradotto dal serbo. Però chiaro. Ne faccia buon uso, nel suo foro interno, lei che sa che il professore parla l'ungherese, e che anche questo calza con il nostro Lampis».

«Ma no, ma che dice, proprio lui!».

«Lui certo non voleva uccidere, però salvarsi sì, ma non a costo di lasciare Savio impunito, libero di continuare come prima, insomma voleva difendersi da Savio, tanto è vero che poi è lui che chiede soccorso».

«E questa è la sola verità disponibile?».

«La verità non è soltanto il credito che una notizia si guadagna. Spesso è meno, è solo ciò che i tempi possono accettare».

«Ma il capitano Savio in quel canale l'hanno spinto, o no?».

Il dottor Pezzullo fa spallucce: «Non era il tipo, il Savio, da buttarcisi da solo».

«Vero. E dove lo mettiamo adesso questo morto? Non riesco a collocare tutti questi morti, nemmeno nei miei sogni. Lei la sa raccontare questa storia?».

«No. Il magistrato civile riesce meglio. Il sergente Parisi, dice, è stato suicidato, perché sapeva troppo di certi depositi segreti di armi e munizioni, che dopo il Muro bisogna smantellare».

«E Levakovich, Stefanoni, Manca?».

«Implicati in traffici da retrovia, cioè in miserie normali, o quasi, in tempi di guerra calda o fredda».

«E Savio? E Lampis che scompare?».

Lui si lascia andare in tutto il corpo sulla sedia. Poi si raddrizza, teso: «Come per la fine del Manca in ospedale, per la morte del Savio in Serbia non c'è *notitia criminis*. Ma io sono certo che Lampis si è dovuto difendere da Savio sbarazzandosi di lui, ne sono certo tanto quanto Lampis è certo che Savio è responsabile della fine del Manca e che era il genio malefico di questa storia. Ma posso dirlo solo come chiacchiera da bar. Anche per questo tengo tutto per me».

«E perché altro?».

«Mi pare più giusto così».

«Giustizia è stata fatta, così, sommaria e personale? Ma il professore io non ce lo vedo proprio per niente in questo ruolo muscolare».

«Qualcuno direbbe persino che Lampis ha vendicato Manca».

«E le va bene così?».

«Non posso formalizzare in atti istruttori ufficiali questa mia convinzione. Ma sì, mi va bene così. Tra il Lampis e il Savio, sul Danubio, semmai, c'è stata legittima difesa. Ha vinto il buono, e ha vinto sul cattivo. Tutto bene».

«La signora Savio sa già di suo marito?».

«Le hanno detto che il marito è un martire, un eroe. Poi lo diranno alla nazione».

«Avrà medaglie e carte, da esporre nel salotto, almeno lei. Cosa ne conclude, lei, da inquirente?».

Pezzullo si aggiusta gli occhiali con l'indice e la fissa: «Ciò che ne concludeva il professore: che la Vojvodina non c'è, dunque non conta niente».

«Sarebbe a dire?».

Lui guarda in alto: «A chi importano in Italia certi moti antiserbi di laggiù, in Kossovo o in Vojvodina, per dire, che neanche io prima sapevo che ci fossero? Non c'è il tanto. Il caso non poteva

che essere archiviato. E se quei luoghi ignoti
saranno all'ordine del giorno anche da noi, ragion
di più per archiviare fatti come questi, che intanto appunto sono lì, archiviati».

Lei lo guarda come un animale ferito, prima che
senta la ferita. E china il capo, le braccia conserte sul tavolo. Beve due sorsi di minerale, poi lo
guarda dritta in faccia, bellicosa sebbene rassegnata: «Anche lui, il professore, lo temeva, anzi
ne era sicuro, dell'archiviazione». Beve un altro
sorso: «Da venticinque anni siamo sempre daccapo
con Piazza Fontana. L'anno scorso le stragi di
Capaci e via d'Amelio. Quest'anno le bombe
mafiose di Firenze, Roma e Milano. Mai a capo
di niente in Italia».

Lui finisce un caffè tiepido, con una smorfia, e si
scuote come un cane bagnato. Chissà che cosa si
scuote di dosso, si domanda lei. Ed è lui che parla: «Signorina, per esempio, chi ha assassinato il
presidente Kennedy, e chi sono i mandanti?».

«Già. E figurarsi una piccola strage come questa
qui, due soli morti, così, uno zingaro e un tenen-
tino sardo. Non c'è il tanto».

«E invece pare che ci sia, anche qui, il tanto, se
tanto mi dà tanto, cioè secretazioni. Cornelio
Tacito già a suo tempo sosteneva che nessun regi-

me politico resiste a qualche mese di verità. E lo sa, signorina, che al contrario del senso comune in Italia abbiamo ottimi investigatori? Questa nostra storia è dura da gestire. Nessuno la potrebbe sbandierare, né a destra né a sinistra degli schieramenti italici del dopo Muro. Certo è una piccola strage, questa qui, relativamente, e poi mentre di là dal confine è tutto un campo di battaglia, crudele, crudelissimo, nel migliore dei casi è retrovia sconvolta. E in quanto giudice, a pensare male io non ci azzecco mai». Ma il tono e il viso del dottor Pezzullo negano questa sua incapacità.

«Tanto lei annota tutto a matita con la gomma in coda».

«Vi dicevate... vi dite proprio tutto, lei e il professore!».

Letizia arrossisce anche nel viso: «Fosse vero, magari non saremmo a questo punto. E lei, adesso?».

«Già, io. Al massimo io mi considero buono a indagare sui crimini, non a gestire gli scandali».

«Scandali?».

«Sì, scandali, con o senza esposizione mediatica. Si sa, lo vede chiunque, o lo sospetta, che ci sono tante di quelle porcherie della ex guerra fredda da

tenere nascoste, o da fare apparire legittime a posteriori, specie da queste parti, sulla Soglia di Gorizia, e ci sono anche le attuali porcherie italiane di questa terribile guerra calda in Jugoslavia, porcherie nuove e porcherie da guerra fredda. La porcheria dov'è finito il Manca, e noi altri con lui, pare di quelle vecchie della guerra fredda, ma è anche di quelle nuove della guerra torrida vicina jugoslava, sì, ha tutta un'aria vecchia e nuova, l'una peggio dell'altra come aria. E può sembrare di secondo o di terz'ordine, la nostra porcheria, rispetto ad altre che si sa che finiranno per venire fuori, prima o poi, ma qui e lì tutto si tiene, vecchio e nuovo, malamente. Perché siamo a questo, che vengono fuori come un'eruzione di vulcano, imprevedibile, ingovernabile, da si salvi chi può e come può», e qui Pezzullo fa la pausa di un sospiro: «Io però lascio. Sono trasferito. Torno a Napoli, torno al mio Vesuvio, o magari a Sorrento».
Ecco che cosa stava scuotendosi di dosso: «Si trasferisce o l'hanno trasferita?». Lui non fa più spallucce. Guarda in quel luogo vago ma preciso dove guarda da un pezzo, oltre il viso di lei, oltre le mura del bar e oltre il Carso, zitto. E Letizia dice: «Mai napoletano ha celebrato meno allegro il suo ritorno a Napoli, o a Sorrento».

No, non fa più spallucce, e gesti e facce come a dire che queste sono cose loro, di magistrati, comunque interne, panni sporchi da lavare in casa. E tra un sorso e l'altro della minerale: «Rimosso ma promosso, ridestinato, predestinato...».

«E rassegnato, anche lei, alle ignoranze inevitabili».

«Per dovere d'ufficio». Il dottor Pezzullo gioca con il dito sull'orlo della tazzina del caffè: «Rassegnarsi è virtù napoletana, è il nostro tipo di civismo».

«E così, anche lei ha la sua via d'uscita».

«Forse è il nostro tipo di eroismo, la rassegnazione». Si ravvia i capelli con un gesto abituale della mano e se ne va a pagare la consumazione.

«Be', poco male, torno da mammà», dice lui fuori dal bar: «Sono un vecchio scapolo, più adatto alla mobilità. Lei però, signorina, deve perdonarmi».

«Perdonarla, io, di cosa?».

«Veda un po' lei. Magari di non essere un eroe, come lei teme che sia il professor Silverio Lampis».

Solenne e rosso il sole che tramonta dietro un pino solitario pare un enorme fiore sullo stelo. E un'ombra sola di un soldato abbracciato a una ragazza si allunga fino a loro due: «E la vita continua», dice il magistrato.

«Anche lei sparisce, mi passa il testimone», mormora lei. E ha un lampo di stupore, mentre gli dà la mano, con la vertigine di stare in qualche cosa di astruso e di feroce, dove altri è già finito, prima e più di lei.

Il magistrato tiene a lungo la mano nelle sue, prima di perdere lo sguardo intorno al Carso, e a un gabbiano solenne su nel cielo, in planata, e poi sulle sue scarpe impolverate.

Partono l'una dopo l'altro, mentre la sera già inghiottisce i tratti dell'enorme paesaggio.

Quando tocca a Letizia andare via, un dolore improvviso al basso ventre e un accesso di nausea la fanno correre al bagno del piccolo bar. No, non è l'arrivo delle sue regole. Per un momento le aveva quasi sperate.

Ricompare pallida e si avvia. Poi mentre scende in auto, lenta, si commuove troppo, fino al pianto, alla vista di come il gran catino del Carso solleva paziente gli orli scuri a contenere il traboccare delle prime stelle.

7

Letizia va alle esequie di Carlo Savio. Vestita come tutti i giorni. Però quella è una fastosa cerimonia: viso dell'armi, labari, insegne. Alte uniformi, parole grandi al vento. Manca si sarebbe commosso, pensa Letizia, e si commuove lei al posto suo, per altre cose. Ci sono dame elegantissime in gramaglie, e lei ci rivede un altro funerale, dell'artigliere Stefanoni, dove Manca se la prendeva con certe signore di ufficiali. Forse sono le stesse.

Se guarda la povera Milena Savio, chissà perché, la confonde troppo con la Júlia Kiss. E il Sekula? Il Sekula eccolo lì, piccolo, nervoso, terreo. Ma volitivo, efficiente, e molto consolato da tutti i presenti.

«Vieni a trovarmi, te ne prego», le mormora la vedova in gramaglie, Milena Savio, quando Letizia l'abbraccia e la bacia per le condoglianze.

«Perché noi siamo amiche ormai, no, noi due? Sì, dimmi che siamo amiche», le dice Milena il giorno dopo, quando Letizia va di nuovo a trovarla a casa sua, a Monfalcone.

Certo che Letizia si sente amica di Milena Savio, se l'amicizia è anche un rapporto di aiuto reciproco in necessità. Perché lei è qui col suo pensiero fisso dei rapporti di Savio con Manca e con Silverio. Lei è venuta da Milena Savio anche per capire meglio il ruolo di Savio in questa storia. Perché lei pure riassume spesso questa storia nel paradosso di Silverio: provatemi che Savio e lo zingaro si conoscevano, e il caso è chiuso per eccesso di chiarezza.

Ma sì, ma sì, a fare i conti forse si vedrà venire tutto al pettine laggiù, nello sprofondo, nel punto che riannoda Franco Sekula a Carlo Savio, nipote e zio d'acquisto, e anche al Cocàl e a Manca.

E allora Manca è innocente. Anche per l'occhio giudiziario. Magari, chissà, non si sa mai. Ma poi tutto daccapo da capire.

Non si dicono proprio questo, Milena e Letizia. Ci girano intorno. Parlano molto o troppo poco. Dicono cose ovvie sulla morte che riduce le complicazioni, ma ne fa di nuove. A tavola parlano d'altro. Milena l'ha pregata di restare a cena, come si usava un tempo coi dolenti, li si consolava con i pasti, come fa Franco Sekula adesso con Milena, che non le fa mancare niente, le manda proprio tutto, anche una sua domestica a tempo pieno, la Palmira, della servitù di casa Sekula, sana forte efficiente, cento chili per un metro e ottanta: *Dimensione Donna*, la chiamano dai Sekula, col titolo di una delle riviste della satrapia mediatica del Sekula.

Palmira serve a tavola. Dove le due donne fanno esempi di come succede che della morte dei nostri cari vogliamo consolarci col saperne il dove il come e il quando, e della nostra morte riusciamo a consolarci perché non ne sappiamo il come e il dove e il quando. E così ragionando e sospirando provano a immaginare che possano riuscire a consolarsi della morte di Carlo Savio e della scomparsa di Silverio Lampis nel secondo modo, quello che serve a consolarci della nostra morte, col non saperne il dove e il come e il quando. E nemmeno il perché.

«E se il motivo fosse lo stesso?», dice Milena. «Per la morte di Carlo e per la scomparsa del professor Lampis?».

«Oh sì, facile», dice Letizia. «E magari, anche, è lo stesso motivo che ha ucciso Anselmo Manca, il sergente Parisi e l'artigliere Stefanoni, per non dire Zeno Levakovich, morto nello scoppio in polveriera, il povero Cocàl, e magari anche per la fuga, per il ritorno a casa e per l'arresto di Júlia Kiss, della signora Manca, nella Vojvodina di Serbia».

«Ah, ma io, scusino tanto, io quei due...», dice la Palmira che seria e concreta aveva già detto la sua su come ci si deve consolare della morte, della morte degli altri e della nostra, «quelli li conoscevo, El Cocàl e anche Júlia. Era un mio compaesano, El Cocàl, qua di Buje in Istria».

«Li conosceva, tutti e due?», rilancia Letizia che quasi si strozza col boccone, nella pista dello zingaro.

«Eh, se lo conoscevo, io, il povero Cocàl! In casa del commendatore Franco Sekula, quello, El Cocàl, ci bazzicava eccome, sempre in cerca di crame e carabattole, sempre a frugare in tutti gli angoli, e si vantava di affari col commendatore, poverino».

«E Júlia Kiss?», insiste Letizia.

«Lei poco. Si è vista poche volte, forse due, quanto basta però per ricordarla, con gli occhioni che aveva. Eh sì, bella mula. El Cocàl per vantarsi di lei mi ripeteva, a me, che se gli andavano bene certe cose, lui col commendatore ne potevano fare poi di belli affari, giù in Vojvodina. Questo diceva lui, El Cocàl, che i suoi affari intanto li faceva con la cenere, mi entrava dappertutto per la casa a caccia di posacenere da svuotare».

Letizia non riesce a stare sulla sedia, o col cucchiaio in mano, specie quando anche Milena se ne viene fuori con il suo ricordo, innescato dalla cenere del povero Mercoledì delle Ceneri: «Ah sì, quello! Ma quello bazzicava anche da noi», sbotta Milena, «per la sua cenere, e a sbandierare le sue relazioni col mio *signor zio*, cercando questo e quello, offrendo questo e quello, in grandi confidenze col mio Carlo. Io non lo sopportavo, era un tipo infido, doppio, triplo, levantino e nemmeno troppo pulito».

«Pace all'anima sua», conclude Palmira facendosi la croce.

8

Una cosa che Letizia fa nei giorni seguenti, è andare dal detective Alec Sander, che Manca aveva ingaggiato per sapere di sua moglie, e che Lampis ha finito per non visitare, la sera del compleanno di suo figlio e della visita al portinaio Barba Frane. Silverio, di quella visita mancata e del detective ha parlato a Letizia, manco a dirlo. Solo che poi ha smesso di dirle ogni cosa: «Nel labirinto si entra sempre soli», ha detto, con lo sguardo ambiguo. «Le donne, al massimo ti danno un filo».

Il detective Alec Sander (al secolo Alessio Sandri) ottiene da Letizia il pagamento di onorari nel frattempo maturati a carico del povero tenente Manca, e in compenso lei viene a sapere che l'affitto della casa di Fernetti dove stava Júlia Kiss, spesso visitata da Carlo Savio quando Manca covava la gelosia sotto le sue finestre, quell'affitto l'ha sempre pagato Franco Sekula, tramite una sua società.

Anche il detective le assicura, gratis, che Júlia Kiss è ospite delle galere serbe a Novi Sad. Ha pure la conferma che questa cosa lei non riesce a farsela dispiacere troppo, neanche quando Alec Sander dice che lui non l'augura a nessuno, di questi tempi, una prigione serba con accusa di alto tradimento.

9

L'estate torrida spinge al mare anche Letizia, con la sua confusione complicata nella confusione di una spiaggia, affollata tanto da far dubitare che l'acqua in mare basti per tanta gente. Ma il sole le toglie la nozione del tempo, l'acqua salsa e l'afa le ottundono il senso dell'attesa.
Ha cercato contatti pochissimo fruttuosi con la magistratura ordinaria. Nei mesi più caldi e sfaticati non sa che fare o a chi parlare, a parte chiamare ogni giorno l'ufficio scomparsi alla questura. Ha mandato a quel paese la signora che sonda chi esce dal coma, interessata in fondo al futuro del suo proprio io pauroso della fine. Letizia, adesso, non è della sua propria fine che si occupa e si sente preoccupata. Letizia, lei è in attesa. E in spiaggia alla Lanterna un giorno sotto il sole, pancia all'aria, l'occhio spesso fisso a quella pancia che sta per mostrare le sue nuove segrete attività, Letizia si assopisce, e sogna: sogna Silverio Lampis che le parla di Dio, verso il quale il pro-

fessore ha sempre osservato il tabù ebraico di non nominarlo mai, tanto meno invano, e accennando alla pancia di Letizia dice con umile solennità: «E sì che Dio c'è! C'è ed è qui, dentro la tua pancia». Si sveglia. E a poco a poco mette a fuoco l'altro figlio grande e grosso del padre del suo piccolo, minuscolo esserino che fra poco darà segno di sé: Bruno Lampis, al quale suo padre deve attenzioni in solido, per legge, non può averlo lasciato così come lascia lei e questa cosa qui dentro la pancia al sole che si sta facendo forse troppo caldo, per lui dentro la pancia. Bisogna cercarlo, Bruno Lampis, per arrivare poi magari a suo padre Silverio, che si è sciolto come neve al sole o come queste piccole pozzanghere di scoglio, resti di una mareggiata notturna. Tra le cose che ogni tanto ha dovuto ricordare al suo Silverio, c'erano pure i suoi doveri di padre per un «figlio separato», come dice lui, e soprattutto il dovuto assegno mensile di mantenimento, se si chiama ancora così. Come ha provveduto in questi ultimi mesi ai suoi doveri, a questo pagamento? È tuo fratello, dice all'esserino nella pancia: dobbiamo entrarci in confidenza, stasera lo richiamo, a Padova.

Al telefono, la sera, non ha trovato Bruno, ma sua madre, che si è messa a sparlare di Silverio: «Pur

di non spiegarsi, quello è capace di sparire», dice
con tono di moglie divorziata, «di solito ritorna
al suo paese sardegnolo, lui, a imboscarsi. È fatto così, ogni tanto ha bisogno di sparire». E ci spre-
me una lacrima, lo si capisce anche al telefono.
«E per Bruno?», prova a dire Letizia che non sa
come entrare in argomento.
«Bruno è partito ieri per il servizio civile, a Pesaro».
Dopo molti tentativi di dirlo senza fare passi falsi, viene a sapere che sì, Silverio ha provveduto,
anticipando quanto deve al figlio per sei mesi, dal
giugno scorso al prossimo dicembre.
Letizia oscilla a lungo, nella notte, tra il positivo
di quell'anticipazione previdente, e il negativo del
non averne parlato almeno a lei, delle sue previ-
denze e previsioni, prima di sparire.

Chi l'ha visto?

I

Di primo autunno, il cameriere Antonio Trau è
intervistato molto alla tivù, da una signora mesta
che dal video cerca gli scomparsi, perché in tivù
si sono messi a cercare anche lui, il professor Silverio Lampis: *Chi l'ha visto?* Ricerche in tutta
Italia, isole comprese, e in Slovenia, persino in
Vojvodina, sui Carpazi e anche in interstizi zin-
gareschi.

In tivù Lampis viene segnalato molte volte, dappertutto, anche lontano nello stesso tempo, anche
sbranato da una mina antiuomo, in Slavonia,
anche portato via da un'astronave aliena sul Carso Triestino, da Vedetta Alice.

Trau si confonde nelle luminarie dello studio tele-
visivo: «L'uomo corre pericoli», premette, volen-
do dire che i pericoli che un uomo corre danno la
misura di ciò che gli si deve, e al professore c'è
chi deve molto. La conduttrice brusca lo rimette
in rotta: «Il professor Lampis è sparito senza
tracce».

«Non è vero. Ce n'è di tracce, eccome, per chi vuole vederle».

La signora mesta fa un avido sorriso: «Ci dica!».
Trau, attento ai discorsi dei clienti colti al Parenzo, spiega che non è questione di dietrologia, questa scomparsa, ma di *profondologia*. Messo alle strette, Trau si è detto convinto che il professor Lampis, compatriota, amico, non gli ha detto però la verità sul cambiamento di programma, quella domenica di giugno.

«Sì, e allora?».
E forse, Trau però ne è sicuro, Lampis si è perso in una sua calata da inesperto nel ventre labirintico del Carso, con quella roba addosso, quadranti da guardare, luci da controllare, chiavi e bottoni da tastare. Sì, dev'essere andata così, anche se il professore non è di quelli che non sanno fare i conti con le proprie debolezze, non cambiano tattica, mai che si chiudano aspettando il contropiede.

«Sì, ma perché un'escursione sotterranea?».
Antonio Trau fa smorfie problematiche.

«Non lo sa spiegare?».

«Io sì, per me». E anche se tiene per sé certe escursioni sotterranee con i soci del sodalizio speleologico di Monrupino, Trau dice di questa idea improvvisa, mentre si arrovellava anche lui su dov'è andato a finire il professore: il buco carsico della discarica di Repen si suppone sbuchi fuori di nuovo oltre confine, in territorio oggi sloveno. Trau si è messo a cercare quel riaffioramento, di là dalla frontiera, di sotto, di domenica e altre feste comandate, rischiando reazioni terrificanti della polizia territoriale slovena, neofita gelosa dei confini statali nazionali.

Ma alla fine Trau appare fantasioso, anche se ha dalla sua la sparizione delle attrezzature speleologiche prestate al professore e sistemate nel bagagliaio della sua malandata YIO, trovata vuota in sosta sotto casa, di fianco all'Agenzia La Pace. E Trau non sa quanto Lampis si sarebbe tenuto alla larga da un luogo dove si fanno quei camuffamenti dell'eterna sosta.

Il vecchio padre di Silverio Lampis, debole e confuso, intervistato nel paese antico di Fraus, dice balbettando che da piccolo suo figlio aveva il vizio di scappare di casa, chissà perché.

Proprio così, conferma la sua vecchia madre: anche per un nonnulla certe volte, e si doveva ritrovarlo, acquattato in certe grotte antiche e anfratti fuori mano.

La moglie divorziata si è difesa strenuamente da

ogni attacco alla sua privacy da parte delle pressioni mediatiche, come le ha dette lei. E basta.

«Cosa ci dici di tuo padre?», chiede l'intervistatore a Bruno Lampis, rintracciato a Pesaro obiettore di coscienza, a fabbricare pacchi per la Bosnia. «Mio padre?».
«Sì, tuo padre, noi lo stiamo cercando».
«Mio padre, lui è uno che sa che in guerra, la prima vittima è la verità».
«Perché, tuo padre è in guerra?».
«Lei no, noi no?», dice continuando a lavorare coi suoi pacchi umanitari, con una faccia risentita, ostile, chissà contro chi.

Il dottor Pezzullo invece collabora quanto ritiene giusto, per un magistrato, ma si rifiuta di parlare alla televisione di un caso chiuso: «E poi io non ne so abbastanza, perché tutto quello che so non pone che domande».
Gli obiettano: «Il caso di una persona che scompare e che si cerca non è chiuso».
«Certo, e voi fate bene: chi cerca, trova».

«Sì, ma il dottor Pezzullo è un magistrato militare», dice in trasmissione il dottor Manca, il fratello medico di Anselmo, «e i militari hanno un modo collaudato di chiudere i casi come questo».

«Quale modo?».

«Come a Redipuglia, scrivono *Presente!* sulle tombe e le chiamano sacrari», e fa un sorriso triste.

«Ci sono stato a Redipuglia, a fare una visita a nostro nonno morto sul Carso a vent'anni: *Presente!*». Ma il dottor Manca è in televisione anche perché ha appena fatto pubblicare *Veglia d'armi*, il memoriale del fratello Anselmo, con molti nomi di luoghi e di persone camuffati.

In trasmissione parlano di *Veglia d'armi* due generali, uno in servizio e uno in pensione, e un colonnello in servizio. Il generale in servizio fa sapere di avere conferito con l'editore di *Veglia d'armi*, libro falso e tendenzioso, dice, per informarlo che ci sarà un seguito giudiziario.

Il colonnello in servizio telefona in diretta e dice che la storia lo colpisce molto, perché sembra in tutto e per tutto la storia della sua vita di soldato sulla Soglia di Gorizia, comprese le donne, soprattutto le donne.

Il generale in pensione dice accorato che la storia è vera in ogni parte, e promette un libro di suo pugno col racconto in prima persona di un'espe-

rienza di ufficiale di collegamento con certe orga-
nizzazioni in copertura.

Letizia si voleva rifiutare alla tivù. Ma poi accetta e vi riprende il tema del saperne di più, e cerca di mettere qualcuno di costoro, che usava tanto la parola inchiesta, sulle tracce dello scomparso, forse nel ginepraio oltreconfine, nel mattatoio
jugoslavo, e quindi anche dalle parti della moglie
del tenente Manca, in Vojvodina di Serbia, «dove
tutto è così truce e complicato che tutti hanno certezze armate fino ai denti», dice. Ma spinta a sem-
plificare, ad abbreviare, davanti alla telecamera
Letizia ammutolisce sui rovelli di Silverio Lampis, e non dice nulla sui recessi carsici, sulla morte del tenente Manca, sulla troppo improbabile
signora Manca, su Savio stratega maligno e tanto meno sul Sekula affarista che paga la pigione
a Júlia. Non si può dire niente di tutto questo a
una telecamera. E finisce per dire alla tivù, su quel
tremendo sfondo bellico a due passi, una cosa che
Silverio ripeteva sulle complicazioni e le incertezze
della vita: «Il vero guaio è che gli sciocchi la vio-
lentano, la vita, specie quella altrui, illusi di togliere la complicazione».

2

Letizia troppe notti veglia sola in casa, da mesi, tra i mobili massicci color miele, tra i centri in macramè. E coltiva la voglia di riudire la sua voce, di sentire quegli occhi su di sé, che sta cambiando.

Specialmente stanotte. Sul giornale locale alla *Posta dei lettori*, oggi vigilia di Natale, un'anima gentile a firma L.E.F. in quattro righe dice l'opportunità di ricordare che nel giugno scorso spariva da Trieste il professor Silverio Lampis, che ha chiuso casa e non si è più rivisto: ma c'è chi aspetta ancora. A Natale ci si fa più buoni, anche i cattivi tutti gli altri giorni, i lupi solitari si fanno un poco agnelli, i figli prodighi ripensano alla casa abbandonata. Ma chi è solo finisce che rimane anche più solo. E per questo Natale, chissà da quando non lo faceva, Letizia Enea Florianic (L.E.F.) ha messo su anche un alberello con palline colorate e lucine intermittenti, batuffoli di ovatta per la neve, perché sì, è sola, più sola di altre notti di Natale, ma pure in questa nuova compagnia che porta dentro.

Letizia tira anche altre somme, con se stessa, con tenacia severa. Nel suo foro interno. Dove a volte, nel più deformante silenzio della notte, tra i mobili massicci di Carniola e i centri in macramè, cova il dubbio che sì, certo, un senso del dovere ha spinto Silverio sulla china dove si era sporto; che ha attizzato fuochi che lui stesso aveva acceso; che tutto solo si è ficcato dentro il labirinto anche soltanto per tenere fede a un suo parere: «Nel labirinto, signorina, si entra sempre soli, con o senza filo»; che la sua scomparsa insomma Lampis l'abbia messa in conto, persino immolandosi a un vero che ci sfugge, per sventare un male che ci incalza, forse, magari un poco sì, tergiversa lei, perché non si sarebbe mai proposto tanto, lui, nemmeno come tema per un saggio, prima.

Ma poi Silverio ha corso il rischio, in una piena di motivi: per il rimorso verso il suo studente fuori corso, per qualche briciola di verità, per farla in barba alle secretazioni del potere, perché non sopporta gente come Savio e Sekula. Anche per fare uno sberleffo a lei, che per istinto non accetta che ogni conoscenza scioglie grovigli mentre ne fa nuovi. Eppure riesce meglio a farsi una ragione di questo suo Silverio che ha la meglio contro Carlo Savio, contro il capitano Carlo Savio in una vera e propria prova di forza fisica, sul parapetto di un canale del Danubio?

Ma deve averla vinta tutta lui, Silverio, a ribadire anche coi comportamenti che la vita pone solo dubbi, sposta confini e limiti a ogni passo, che ambiguità e mistero sono regole del mondo e che l'enigma è la più chiara verità? Deve avere ragione solo lui, così cavilloso, sempre, che le diceva spesso che non c'è sugo a vivere e a discutere con chi ha ragione, che ci si annoia, e per avere lui ragione a oltranza aggiungeva che comunque è meglio morire da infelici, perché così si perde solo l'infelicità. Uno così le è toccato da amare, perché sì, lo ama, da molto, e da morire. Lo dice a voce alta, nel buio, per orientarsi, che lo ama. E le manca, le manca da morire, anche perché lui non può essere che vivo, per avere ragione, pensa lei sognante, persa, ma non disarmata, decisa a proseguire come non le è mai successo prima in vita sua, costretta a credere nella felicità, che pensa e sogna spesso come una meta di luce da raggiungere alla fine di uno stretto e buio cunicolo carsico.

E così un poco si concilia tutto il suo darsi da fare sulle tracce di Silverio, dopo le tracce che lui ha lasciato in lei la notte a casa sua, prima sul divano e anche dopo che ha finto di andare in bagno a mettersi il diaframma, o qualcosa di simile, ma non l'ha fatto. E adesso non ha pentimenti, perché non è stato proprio un tradimento quello suo di donna innamorata, se poi nella notte in tutto quel parlare glielo ha detto come una dichiarazione massima d'amore che lei da lui vorrebbe tanto un figlio; e poi perché lo intuiva, lo sapeva che la traccia più importante di lui la doveva ricevere e tenere lei dentro di sé.

3

Quella sua domanda, su una probabile prova di forza impari sul parapetto di un canale del Danubio, Letizia la fa al dottor Pezzullo. L'ha chiamata lui al telefono da Napoli sul tardi nella sera di Natale, per i saluti e per gli auguri. E dopo i convenevoli: «Qui domina il dubbio, signorina», le dice con cadenza più napoletana di quando era a Trieste, «e in questo avrà sempre ragione il professore, con Socrate e tanti altri, e mai abbastanza».

«E i pubblici ministeri e i giudici istruttori, civili e militari, quanto sono socratici, in questa fattispecie, se si dice così?».

«Troppi, temo, credono di non potersi permettere il beneficio del dubbio e del sapere sempre provvisorio, ma da tempo Socrate fa strage anche tra noi, in queste fattispecie. Comunque, ho visto il *Piccolo*, continuo a leggerlo per nostalgia. L'ho riconosciuta subito, L.E.F.».

«Ho fatto male?».

«Be', si può, di deve sempre sperare».

«Speravo di stanare anche lei».

«Infatti le volevo dire due cose, visto che lei ha preso il testimone. Mi sono scordato di dirglielo a Trieste: il professore ha ritirato circa dieci milioni di lire in contanti da un suo conto in banca tra il giovedì e il venerdì prima della domenica che se n'è andato. All'Est, per dire, quei soldi gli basterebbero per anni».

«Troppo tempo. E per gli assegni di suo figlio ha provveduto a un anticipo di sei mesi, fino a questo dicembre. Perché non si fa vivo, intanto? Magari si è fatto vivo con lei?».

«No, ma anch'io farei così, al suo posto. Lui non è mica un criminale, ha tutti i rimorsi e le paure di noi gente normale, e ha l'acume e la prudenza che di solito manca ai criminali, mi creda».

«Ma mesi e mesi senza farsi vivo?».

«Sta proteggendo se stesso, e anche lei, signorina».

«Da chi, e perché, secondo lei?».

«Forse lui lo sa. O lo teme. E fa bene. Ma lo possiamo immaginare anche noi, da chi si nasconde».

«Io non l'immagino, anche se lo temo. E lo cerco, io».

«Mentre lui si smarca».

«Sì, e se ne va così tanto a lungo in luoghi impervi, come amano fare certi antropologi, sul campo, a casa del diavolo, e lui magari in qualche recesso carpatico o balcanico. Ma che esagerazione è questa?».

«*Melius abundare quam deficere*, e magari defungere».

«Ma almeno per Natale, farsi vivo. E la seconda cosa che voleva dirmi?».

«Mi ha ricordato anche la prima che le ho detto, quando ho saputo la seconda. Ed è che il capitano Savio è stato visto in compagnia di un civile di aspetto italiano, nel giorno e nel luogo che è finito in un canale del Danubio. Questo, secondo i serbi. All'Est sanno sempre distinguere un occidentale, e un italiano anche solo da com'è vestito, perfino uno che non bada a cosa indossa, come Lampis. La descrizione calza: statura mediobassa, magro, asciutto, bruno pepe e sale e con inizi di calvizie».

«E questo, fa sperare?».

«Come sa, e lo sa da me, quel giorno il Savio in quei paraggi è finito in acqua dove forse non poteva che affogare, in una chiusa, dove però di certo non poteva cadere, se qualcuno non lo buttava giù di peso».

«Il professore?».

«Perché no, per ipotesi, e per legittima difesa, come le ho già detto a suo tempo? Chiunque è capace di uccidere per salvarsi, per non morire lui».

«Non ce lo vedo in questo ruolo. Da buon sardo, sarà pure vendicativo, persino violento, all'occorrenza. Ma se lui era lì, con Savio, dietro ai modi della vita e della morte del tenente Manca, e anche di sua moglie Júlia, io me lo immagino muoversi semmai coi trucchi collaudati della ricerca sul campo, per nulla appariscente, che passa per svagata, non dà nell'occhio, ma vede e cerca di capire».

«Capisce, e poi magari agisce, lui. Non le va bene nemmeno che il buono vinca sul cattivo, e per legittima difesa?».

«Non mi piace. Non so, ma allora, insomma, a che servono i giudici?».

«Bello sentirglielo dire. Le cose che le ho detto io le so come magistrato inquirente e, se vuole, giudice».

«Giudice anche di Silverio Lampis?».

«Ero inquirente per la morte del Savio, e prima del Manca. E Lampis c'entrava».

«Ma no!», grida quasi Letizia, poi sta zitta.

«È ancora lì, signorina?».

«Mica tanto. Lei mi ha confusa molto. E anche delusa, lo sa?».

«Tra i lettori del rapporto serbo sulla morte del Savio, forse solo io mi sono persuaso che Lampis è l'italiano che stava col Savio il giorno ch'è finito in un canale del Danubio. E che ce l'ha buttato Lampis, forse per non caderci lui per mano del Savio».

«Così immagina lei».

«Li ho immaginati tante volte insieme, le loro schermaglie, ciascuno che si chiede quanto sa costui, che cosa vuole, come me la cavo se capisce, agisce, reagisce? Finché il Savio capisce che deve liberarsi di Lampis per non essere smascherato. Ma Savio si dev'essere fidato troppo della sua superiorità fisica, militare. Le va bene così?».

«E a lei? Lei accetta che questa storia finisca così? Si può accettare?».

«Non si può. E incasso le sue accuse, implicite ed esplicite».

«Io non accuso, io constato, e soffro, se permette».

«Certo, mi scusi. Molte sentenze condannano più il giudice che il condannato».

«Ma in casi come questo condannano solo il giudice, se non c'è condannato».

«Prima di andarmene via da Padova io ho fatto e delegato ogni possibile indagine su questi fatti. Ma gli sviluppi dei fatti, tu li segui, cerchi e trovi tutto, a volte, meno la verità che serve al giudice».

«Dottor Pezzullo, non mi parli anche lei come il professore, non mi dica che ogni sapere ci apre solo a ciò che non sappiamo».

«Il mio compaesano Giordano Bruno rincarava: aumento di sapienza è aumento di dolore».

«Be', questo lo capisco meglio, però mi ribello. Da bambina mi ribellavo contro l'opinione di mia nonna croata che pensare e capire sia attizzare il fuoco dell'inferno. E dunque nessun caso è chiuso, mai, al massimo archiviato. E gli archivi esistono per essere riaperti».

«Sì, ma in questo caso troppi non possono né vogliono mollare il cuore dell'intrigo, è appartenuto loro troppo a lungo, e soprattutto hanno troppo da perdere, e anche da essere puniti, e si proteggono, in nome della sicurezza collettiva».

«Così tanto la nostra nazionale sicurezza collettiva ha bisogno del segreto e dell'intrigo?».

«Forse meno di quanto di solito si fa, ma anche meno di quanto si sospetta: l'idea del complotto è la spiegazione più facile. E comunque io la chiave di quell'archivio non l'ho più, se mai l'ho avuta».

4

L'idea della forza e della lotta nelle azioni di Silverio, a Letizia davvero non va giù. Nemmeno per legittima difesa. Però le pare di capire. Sente persino giusta la bravata, se c'è stata legittima difesa. Buono persino il corollario della giusta punizione del cattivo, e magari della rivalsa, vendicando Manca, e buono anche il risarcimento verso il suo studente militare a lungo trascurato, quasi vilipeso, a volte, da cattivo maestro. Certo è che Silverio si è cacciato in un'impresa dove a un certo punto non poteva districarsi, però ci si è messo a ragion veduta, di proposito.

«Ogni attimo che passa è sempre un punto di non ritorno», diceva spesso lui, ridendo di chi usa troppo spesso la similitudine del punto di non ritorno dell'aereo che rulla verso il volo, nel punto che o decolla o si schianta fuori pista. Ma con Savio sulla chiusa del canale del Danubio, Silverio era già da un pezzo oltre quel punto. O meglio, quello è stato l'attimo che devi fare di necessità virtù,

mors tua vita mea, poco da fare gli schizzinosi: *hic Rhodus hic salta*. Ed è saltato Savio.
Ma lui, Silverio?

A sera tardi il telefono squilla ancora in casa di Letizia: «Sono Milena, ciao, come va? Letizia cara, grazie degli auguri, quelli in segreteria telefonica. Sai, ti avrei chiamato comunque. Ho visto la lettera alla posta dei lettori e ho capito subito che tu sei L.E.F.».
«Non so più se ho fatto bene».
«Hai fatto bene. Beato chi può farlo, continuare a cercare chi è scomparso».
«Possiamo farlo tutti, per chiunque», si ascolta dire una Letizia spaventata di se stessa, le pare di imitare Silverio anche nel tono.
«Infatti posso farti il mio piccolo regalo di Natale, spero», e abbassa la voce: «Non l'indovineresti mai... Ma devo venire da te, ti va?».
Le va. Tanto più che ha l'impressione fastidiosa che gli uomini, in questa storia, parlino tutti allo stesso modo, Lampis, Manca, Pezzullo... e tutti al modo di Lampis per dire le solite cose sul mondo sempre troppo complicato.

Milena arriva con una scatola di cioccolatini natalizi in carte colorate e bei nastrini, e una bolletta del telefono, lunga come un lenzuolo, con la lista delle telefonate: «Ecco, guarda qua: quella domenica di giugno, sezione telefonate urbane, qui, alle ore 23,47, c'è una chiamata dal numero di casa nostra a un numero che ho controllato sulla guida. È quello del professor Silverio Lampis: 040.391955».

«Precisamente».

«E allora la notte che sono spariti tutti e due, prima si sono parlati al telefono, ed è stato Carlo che ha chiamato il professore».

«Precisamente».

«Carlo è morto in Serbia, quattro giorni dopo. E il professore?».

«Bisogna cercarlo. L'ha fatto altre volte di andare a rintanarsi in qualche luogo impervio dei Balcani, o dei Carpazi», e spiega anche a lei che cos'è la ricerca sul campo per un antropologo, «uno che fa l'osservazione partecipante, come diciamo noi, solo, meglio se più lontano, tra i selvaggi». Ma non le riesce di dirla come cosa probabile, questa della ricerca sul campo in somma discrezione, plausibile per la scomparsa di Silverio Lampis. Non le riesce nemmeno di giocare bene la sua parte di padrona di casa, fino ai ringraziamenti, agli auguri, ai saluti e agli abbracci, dopo silenzi lunghi.

«Per selvaggi, lo sono, selvaggi, quelli là, da sempre. Lo si è sempre detto in famiglia, degli slavi, specie per l'impegno a massacrarsi, ogni tanto».

«Questo non è il Natale migliore per nessuno, da queste parti, non c'è bisogno di dirlo».

«Che succede al mondo? È tutto così strano, da fare ammutolire», dice Milena Savio andando via.

5

Di nuovo sola, nella poltrona delle insonnie, con
la sua amara perspicacia, con curiosità meno delu-
se, mentre con la scusa delle voglie da donna in
attesa sbocconcella i cioccolatini di Milena Savio,
Letizia segue ancora le strade dove i due si scon-
trano, e Savio ne esce martire ed eroe.
Ma Silverio?
Letizia mette a fuoco meglio una sua vecchia
idea, un suo timore degli scorsi mesi, che era
anche un timore di Silverio che sospettava dei pedi-
namenti. Non fosse che per questo, Silverio ha fatto bene a scomparire. Trieste e l'Italia, isole comprese, erano un pericolo per lui? E quindi anche
per lei? Capisce meglio l'allusione del dottor Pezzullo a quello scomparire per proteggersi, e così
proteggere anche lei, Letizia, senza sapere di quest'altro esserino tutto nuovo da proteggere. C'è
anche la propensione di Silverio per le fughe solitarie, magari camuffate da ricerca sul campo in luoghi esotici, le quarantene nel deserto, la vita da

eremita, Carpazi o non Carpazi. E il suo bisogno di vedersela con Savio, di rendersi conto di persona di come sta Júlia, che cosa le è successo. Quanti piccioni ha voluto prendere Silverio, con una sola fava, se dai retta alle ipotesi e ai sospetti? Molti piccioni, che però sono anche gatte da pelare, pulci nell'orecchio, serpi in seno. Questa è la volta che Letizia non guida più i pensieri che le tengono la mente. Gioca con le parole: scomparso, scomparire: «Papà... scomparso, se n'è andato», cercava di dirle sua madre al telefono, a Parigi, di farle capire che suo padre era morto all'improvviso, tredici anni fa quando studiava alla Sorbona. Scomparso? E dove? Vado a cercarlo io, sta' tranquilla, mamma, sta' tranquilla.

La riscuote il telefono, qui e ora, uno squillo feroce nella notte. A quest'ora? È lui, sì di sicuro è lui! Stira i secondi per paura di una delusione.

Solleva la cornetta, fa il suo pronto! Una voce cupa soffia dura, piatta, camuffata: «È lei che sul giornale qui si firma L.E.F.?».

«Ma chi parla?».

«Babbo Natale, con regalo».

«Ha notizie per me?».

«Sì, urgenti, signorina».

«Del professor Lampis?».

«Sì, lasciamo perdere, ma tutto».

«Pronto, chi è, che cosa dice?».

«Dico, lasciamo perdere, tutto quanto».

«Non capisco. Lei sa qualcosa, del professor Silverio Lampis?».

«Anche lei sa, sa quanto basta per lasciare perdere».

«Che cosa so, che cosa lascio perdere?».

«Tutto, lasciamo perdere tutto! Buon Natale, signorina L.E.F.».

È lei che sbatte giù, ma subito pentita, con crampi di nausea e di paura. Mai avuto paura finora in tutta questa storia. Non tanta così, non questa paura.

Su tutti i Carsi nevica, il bianco copre tutto. L'inverno comanda. La notte santa è afosa e gelida di brividi paurosi.

Per niente al mondo L.E.F. vorrebbe risentire quella voce. Ottusa, fa per chiamare Silverio, a quel numero appena ricordato, letto sulla bolletta di Milena Savio, e che le torna alla memoria delle dita con un tuffo al cuore. Ma appena sollevata la cornetta, prima di fare il numero c'è ancora quella voce sibilante, camuffata: «Salve, sono ancora qui».

«Perché?».
«Prima ho chiamato io, la linea mi è rimasta».
«Chi è, che cosa vuole?».
«Ci sarò sempre qui per L.E.F.».
Letizia mette giù, poi scoppia in pianto.

Il pianto aiuta, lava, distende, riesce a farle sopportare che tutta questa storia non può raccontarla, nemmeno a se stessa. Anche per questo fa paura, soprattutto per questo. Ma se c'è chi mi spia, perché mi consiglia, mi costringe a smettere di stargli dietro, a quest'uomo mio che si nasconde, ma che certo non sta troppo lontano, nei pressi della notte?
A poco a poco nella notte, accoccolata nella sua poltrona delle insonnie, dopo avere sperato nel sopravvento del sonno, Letizia si addormenta, paurosa di farci brutti sogni; ma siccome è Natale, riceve un regalo: sogna di addormentarsi anche nel sogno, dove poi però anche lì sogna di risvegliarsi in cunicoli di buio, che se li segui fino in fondo, dove non sai più né l'alto né il basso, né il centro... ecco, sì, non ci voleva mica tanto, le strade di buio finiscono quaggiù, nella grotta-alveare-cattedrale della metafisica del Carso, nel ristagno di echi di un brusio di folla, un tambu-

rino zingaro rulla il tamburo e su una roccia carsica un gabbiano-civetta batte due palpebre lente e poi si leva in volo silenzioso, un organo rimbomba giù da una cascata di stalattiti e il parroco di Repen e di Radót, due fusi in uno, canta il soldato a morte condannato e benedice lo sprofondo *per omnia Sekula Sekulorum*... Letizia Enea Florianic ricorda i canti solenni, l'incenso e il lontano latino e le pare di riguadagnare l'onnipotenza della sua candida infanzia, mentre in fondo alla cascata di stalagmiti compunto in ginocchio il commendator Sekula in doppiopetto scuro biascica orazioni, trincia segni di croce cattolici e ortodossi con salamelecchi musulmani, mentre dai cavi penetrali squilla la tromba militare e l'ufficiale dei carabinieri in stivaloni e fascia azzurra scatta sull'attenti a suon di speroni... Anch'io nello sprofondo, quaggiù nell'altro mondo. Oddio sì questo è il luogo. Si muove con raccoglimento guardandosi attorno riverente, sicura che l'umile solennità del suo comportamento serve a tutto questo incanto. «Che fai tu qui?», la fa trasalire una voce nota, quella voce, la sua. «In un luogo di figli delle tenebre?».

«Professore... Silverio, qui sul campo, finalmente insieme?».

«Sullo scampo, semmai. Quello però non scampa, quello lì», e accenna a un tale senza volto, militare in divisa, di spalle, rigido in attesa, ombra nell'ombra di un anfratto. «Quello è il tenente Savio».

«Non tenente, ma capitano».

«Ma capitato male qui, vedrai», e si avvicina a Savio di soppiatto, in punta di piedi, come a nascondino. «Buh, io so chi sei».

«Chi sai che sono?».

«Quello che sai che sei».

«Lo so che sai chi sono».

Una donna, bella in vestiti a pezzi, tre gigli bianchi al petto, avanza barcollando, guidata dal Cocàl che guida tutti dritti al posto che gli spetta qui nello sprofondo.

«Come va, signora Manca?», dice a Júlia il professore con un baciamano mitteleuropeo.

«*A népemért sìrok*».

«Soffre per il suo popolo», Lampis traduce al capitano Savio, che ora ha il viso, e sotto i baffi un sorrisetto di terrore, e che senta anche il Sekula, che tiene la destra sopra il cuore, dove sta il portafogli.

Tamburini di piombo sulcitano rullano i tamburi. In una pausa fonda di silenzio Lampis grida bisbigliando a Savio: «Tu, pessimo soldato, se sai che so chi sei, via quella tua maschera da eroe». Invece lui s'infratta. Lampis dietro tutto ardimentoso, dopo un saluto breve a Letizia che vorrebbe dirgli che lei, in lui, sì, lei è l'insufficienza che in lui ama, e anche, persino, se possibile, magari, anche un suo disertare disarmato, se sapesse che cosa le ha lasciato dentro, a lei.

«Pena del contrappasso», fa un'altra voce nota: sì, è il tenente Manca, con un viso onnisciente, in divisa da buon soldato, senza colpevoli minorità, non più *necacovo*: «Ogni giorno a quest'ora lo rifanno».

«Mi spieghi, tenente, per favore».

«Certi guai non si spiegano, ma spiegano chi tenta di spiegarli».

«Ma come parla, anche lei?».

«Come un dottore in filosofia».

«E la memoria, l'ha di nuovo intera?».

«Qui torna tutto. E si lascia che torni, come la sventura».

«E si capisce pure, finalmente?».

«Qui è ieri, oggi, domani, sempre e mai».

«Non me la conta giusta neanche lei».

«Allora stia a vedere, capirà».

Savio e Lampis sbucano ancora dal buio in una corsa mozzafiato, su e giù, dentro e fuori, all'interno e all'intorno, Lampis sempre dietro, via l'impermeabile, via l'ombrello, via quell'eterna borsa: i due fanno rumori come ratti sopra vetri rotti giù in cantina. Savio ancora armato fino ai denti, in tuta mimetica, l'uno non molla l'altro.

«Mai?», chiede Letizia.

«Mai e sempre», dice Manca, e la guarda con in faccia promesse di rivelazione. «Tutto si compie, adesso che c'è anche la signora Savio». Ed ecco che stavolta è Lampis che sbuca fuori per primo, e pure staccato, sembra il maratoneta all'ultimo giro nello stadio: solo chi non ha corpo si può muovere così, senza più il peso della carne, sfuggito all'Agenzia La Pace. Savio dietro, cerca di recuperare. Infatti recupera, quando Silverio Lampis si ferma di botto e Savio gli si avventa, ma lui scarta all'ultimo momento e Savio cade dentro il precipizio, cade come in un abisso d'acqua, con il ribrezzo del riverbero sul fondo, con un grido tombale.

«Capito?», dice Manca. E va. Va da Júlia. Non tocca neanche terra come va da Júlia.

E poi il silenzio dura.

Letizia resta nell'attesa, con il cuore in gola. Poi da doline astruse squilla e squilla la tromba militare... ma qui si spezza il sogno, per tensione interna, cedendo all'ansia di rivelazione: anzi al telefono che squilla, quello sì, chiaro, vero, e ancora minaccioso.

«Pronto!».

«L.E.F.?».

«Di nuovo lei! Cosa vuole da me?».

«Dire buone feste, e pure buon anno».

«L'ha già fatto, grazie».

«Non io».

Letizia si spera ancora in sogno: «Perché si camuffa?».

«Perché ogni vero ci fa più ignoranti».

Letizia è senza fiato: «Ma lei... ma tu, ma allora... ma davvero allora hai vinto tu».

«Vinto?», dice la voce meno camuffata, colta di sorpresa, con un accento noto. «Be' sì, sì, qualcuno si è buttato, e ha perso».

Letizia si sente ancora nel sogno sotterraneo: «E adesso dove sei, da dove chiami?», ma cerca di stare al gioco dei camuffamenti: «Dove la stai facendo questa tua ricerca sul campo?».

«In un luogo dove non arrivano i gabbiani, nemmeno di fiume. Sono disceso nel profondo. E se si scende molto, poi si fa decompressione, risali lento, o se no devi fare camera iperbarica. Intanto si calmino le acque. Sì, faccio ricerca sul campo in un ventre di vacca, o in un alveare di stop-

435

pie dei Monti *Scarpazi*, come diceva mio figlio».

«I figli hanno sempre le loro ragioni. Quelle di Bruno non scadono a dicembre. Anche prima di nascere vantano dei crediti, i nostri figli, come quello che stiamo aspettando adesso tu e io».

C'è un silenzio lungo.

«Letizia».

«Silverio».

«Sarebbe a febbraio».

Altro silenzio.

«Silverio».

«Letizia».

«Non mi mostri la lingua?».

«Sì che te la mostro, la lingua, garantito. Però adesso basta, ché sul dire al telefono ha ragione l'altro, Bruno, il figlio maggiore».

Lo scatto, e subito il rombo della linea chiusa internazionale, per Letizia sono un colpo duro. Mette giù anche lei, si volta e si appoggia in avanti con il ventre alla poltrona delle insonnie. E le pare che sia Natale, finalmente, mentre fissa a occhi umidi la neve finta e l'alberello a lucine intermittenti sul comò, che anche loro paiono giocare a nascondino.

Riprende fiato e la trattiene tutta dentro questa sua certezza, che Silverio Lampis non le lascia dentro un figlio senza padre. Trattiene tutto dentro a lungo, tanto quanto può, prima che ricominci la complicazione.

Indice

Questo volume è stato stampato nel mese di giugno del 2010 su carta Grifo Vergata delle Cartiere Miliani di Fabriano. La sovracoperta è realizzata in carta Roma fabbricata a mano e appositamente allestita dalle Cartiere Miliani di Fabriano per la collana « Il divano ».

Stampa: Officine Grafiche Riunite, Palermo

Legatura: LE.I.MA. s.r.l., Palermo

Il divano